은유로 나는

고추잠자리

은유로 나는

고추잠자리

—————

유태안 지음

책과나무

자서 自序

나는 아직도 시가 족쇄보다는 구원이 된다고 믿고 싶습니다. 주변에 시 쓰기를 포기한 분들을 보며 '나는 왜 시를 쓰는가?'라는 질문을 수없이 던졌지만 그 명확한 답을 찾기 위해서라도 저는 계속 시를 써야 할 것 같습니다.

　시를 쓰기 시작한 지 30여 년 만에 첫 시집을 내게 되었습니다. 하지만 시 쓰기에 게으른 것은 아니었습니다. 시집 『은유로 나는 고추잠자리』에서 절반 정도는 최근작이고, 절반은 이제껏 쓴 650여 편 중 마음에 드는 작품을 선별하여 묶은 것입니다.

　『은유로 나는 고추잠자리』는 '시란 무엇인가?'라는 질문에 대한 나름의 정의에 들어갈 개념 찾기라고 말할 수 있겠습니다. 설렘 반 두려움 반으로 연락이 두절되었던 애인을 찾아가듯 독자들에게 다가가는 발걸음입니다.

2016년 9월 30일
유태안

차례

2부_ 구름 공장이 있는 마을

3부_ 벌판 한가운데

은유로 나는

고추잠자리

관계, 세계와 나
그리고 길 찾기

사람들은 자신이 누구인지 알고 싶어 한다. 반드시 그걸 알아야 세상을 살 수 있는 건 아니다. 그걸 알고 싶은 건 본능적 호기심이거나 언제 사라질지도 모른다는 불안감 때문일지도 모른다. 그런데 이 문제에 있어 지금까지 알고 있었던 세상의 모든 지식들은 불완전하다. 만약 완전한 지식이 있었다면 다른 지식들의 허구성을 입증하여 무력화시킬 수 있었을 테니까.

사람들의 존재 인식은 주변의 사물과 사람들 사이의 관계 인식에서 출발한다. 나는 아이의 아버지이고 아버지의 아들이고 내 아내의 남편이고 학교에서 아이들을 가르치는 선생이고……. 그러나 이런 식의 관계 인식은 우리를 더 경직되게 만들 뿐, 존재의 본질에 대한 갈증을 충족시키기는 어렵다. 내가 살아 있음을 느끼는 것은 순간순간 찾아오고 그때그때 달라진다. 어제는 아이들의 아빠여서 행복했는데, 오늘은 아이들의 아빠이기 때문에 힘들고 우울하다.

그래서 사람들은 돈에서 권력에서, 신에게서, 예술에서, 과학에서 존재 의미를 발견하고 확인하려 한다. 그러나 더 많은 사람들은 존재적 불안이 왜 발생하는지에 대해 관심도 없거나 모른 채 그 불안을 잊는 일에 매달려 산다. 그것이 자기 최면이든 사실이든 아니든 우리들은 외롭고 불안하다.

관계

– 드라마

드라마를 보며 사과를 깎는다 사각사각 빨간 스토리가 벗겨지며 드라마는 색이 노랗게 변해 버린다 빨간 표피가 접시 위로 길처럼 흘러내린다 빨간 표피와 당도의 관계처럼 아내의 웃는 표정 뒤에 행복은 얼마나 될까? 먹기 알맞게 분할되어 접시에 담겨 있는 사과 혹은 아내와 나의 드라마, 아내가 포크에 찍어 내민다 향기가 풍겨 온다 여주인공, 묻지 않아도 알 수 있는, 포장된 과거가 푹신한 소파처럼 놓여 있는 방 안, 사랑하는 남자와의 마지막 관계, 여주인공은 아무 일 없는 듯 다른 남자와 결혼을 하리라 이 뻔한 결말을 앞에 놓고 아내는 또 포크를 내게 내민다 향기는 어디로 갔는가? 반전(反轉) 없는 날들이 15년, 이젠 단련이 되었을 만도 하지만 여주인공의 사연 앞에서 아내는 눈물을 훔친다 문득, 사과씨 속에 녹화된 사과나무의 드라마에서 꽃피던 시절 지나간 나비가 향기로 기록된 건 아닐까? 스쳐가는 생각, 한 번의 터치로 한 여자의 역사(歷史)가 넘겨지고 또 과도(果刀)처럼 날을 세우고 누워 드라마 깎기라도 하겠다는 듯 TV 속 남녀의 정사(情死)를 맛본다 씨방이 텅 비어 가는 아내와 내가

관계

– 비둘기와 점멸등

　새벽 일곱 시 출근길, 졸음을 쫓듯 깜박이는 점멸등 가로막대에 벌써, 비둘기 몇 마리 출근해 졸고 있었습니다 웅크리고 조는 사유는 출근해 업무를 시작한 뒤에도 바닥으로 내려오지 않았습니다 몽롱한 식곤증의 오후, 블라인드를 올리고, 하늘의 흰 구름 근처이거나 시청 지붕 꼭대기가 비둘기들이 있어야 할 곳이었지요 광장에 모여 집회라도 하다 일제히 날아오르는 파란 하늘, 비둘기에 대한 상식이었지요 '사연이 있었겠지' 그렇게 넘겨 버리지를 못하고 아파트 비밀번호를 잊었을 때처럼, 궁금증은 빨간색으로 신호가 바뀌어, 무엇 때문에? 길거리에 나앉은 가족처럼? 자꾸 황색 선을 넘는 지독한 참견과 이탈이 이어졌습니다 퇴근할 때 다시 비둘기들이 앉았던 신호등 가로막대를 올려다봅니다 어두워지는 하늘 비둘기들은 보이지 않고 신호등은 빨리 기억을 통과하라는 신호 같습니다 서둘러 액셀러레이터를 밟습니다 어쩌다 상징을 잃고 도시 천덕꾸러기가 된 비둘기 식구들, 비둘기를 걱정하는 시인도 어디 가서 저녁 끼니 걱정을 하고 있을까요

관계

– 時間의 단편들

   감자 잎을 갉아먹는 딱정벌레처럼 유리 뚜껑 속 숫자판 위를 지나가는 시간과 붉은 핏물을 흘리며 잠겨 있는 철대문 저편으로 지나가는 시간, 여기가 어딜까 기웃거리며, 삐딱거리며, 휘청거리며 쇼윈도 앞으로 지나가는 시간, 철커덕 셔터 문이 내려지고, 그녀는 떠나고, 번쩍이는 네온사인의 거리 건너편 뾰족한 첨탑 위 붉은 십자가의 시간, 나는 외로운데 바람이 불고, 쫓겨난 오후 한나절 동안 내 그림자를 파헤쳐 지은 두꺼비집 속의 시간, 아주 먼 밤이 기어이 오고, 사다리를 타고 올라가 못 몇 개를 박아 놓고 걸어 놓은 부끄러움이 마르기를 기다리는, 상상의 벽 위 그림자를 드리우는 시간, 낮은 포복으로 통과해야 할 것 같은, 힘든 일상의 철조망 누군가 떨어뜨리고 간 사진 위의 시간, 쉬고 싶은데 명분도 없이 전쟁의 깃발은 오르고, 전쟁에서 돌아오는 패잔병들 얼굴의 분노가 천상시인의 시 속에서 태어나는 시간, 기억해야 할 연결고리를 잃고 하늘로 떠오르는 풍선 속의 시간, 펑, 다시 태어나는 시간

관계

– 열대어 키우기

혼자 사는 그는 외로워서 열대어를 키웠다
그의 마음에 하얗게 이는 안개 속을
열대어들은 무리지어 헤엄쳐 다녔다
그를 보는 내 마음에 파랗게 이끼가 끼었다
그 후 열대어들이 내 속으로 이주해 온 것은
아주 오랜 세월이 흐른 뒤였다

관계

– 빈집

　누구든 들렀다 갈 수 있는 곳이지 가끔씩은 애인이 없는 그대가 살고, 떨어지기만을 기다리는 태양이 매일 줄을 서 있고, 자꾸만 발이 빠지는 오늘이 나보다 먼저 허기져 식탁 앞에 앉아 있네 하늘로 지나가던 한 줄기 바람을 가두어 놓고 수음을 즐기고, 온갖 장식을 달아 추억의 나무를 흔들게 하다가 어김없이 쫓아내 버리고 그를 찾아 골목골목을 뒤지며 다니는 그대가 외로울 때면 내 목소리로 내 아내를 만나러 오지 그리 놀랄 만한 일도 아니네 버려져야 할 것들이 자꾸만 쌓여 가고 그로 인해 창문의 햇빛을 가리고, 여기는 너무 어두운 곳이어서 거울 같은 건 볼 생각도 않는다고 변명하며, 싫어하는 사람들을 보며 자신의 얼굴을 읽고 있지 몇 번씩 부인해도 이곳은 내가 꿈꾸어 온 세계, 떠나간 그대를 그리워하며 만들어 온 또 다른 세계, 사람들이 꿈꾸던 세계를 만나지 못하는 건 꿈 저쪽에 세워 놓은 또 다른 나의 부름 때문이지 내가 나를 버리려 해도 나를 찾아오는 것들로 나는 끝내 버려질 수 없네

관계

– 숲

바람은 내 삶의 의욕을 빼앗아 숲 속으로 사라지곤 하였다 숲은 금세라도 거대해져서 잡목림과 무수한 바위들을 낳아 기르고 나는 무거워져서 자꾸만 주저앉았다 더 이상 꿈꾸지 않는 무서움 뒤에 풍선처럼 공중에 떠 있는 불안함이 불어닥치고 숲은 나를 흔들고 지나갈 소나기구름, 허공의 무지개와 맞닿아 있다 밤이 길어질수록 숲에는 나무들이 자라고 나는 야위어 갔다 숲에는 내게서 사라져 간 기쁨들, 별처럼 나무들 사이에 반짝이고, 나는 숲에 두고 온 길을 찾기 위해 그대를 떠났다 숲은 늘 내 곁에 있었지만 나는 숲에 들 수 없는 사람, 숲의 주인이며 숲에 갈 수 없는 비애, 계곡에는 토끼, 노루, 단풍나무, 도라지꽃, 수리취꽃도 안개 속에 살고, 그대가 풀꽃 냄새처럼 찾아와 나를 가득 채운 날, 나는 새로운 숲으로 이사했다

관계

– 출근

출근하는 중, 통째로 삼킨 콘택600 캡슐처럼 食道를 지나 차를 타고 출근하는 곳은 市의 위장쯤 되는 곳? 감기 바이러스의 집이기도 한 나는 아픈 몸으로 市의 귓병을 치유하러 가야 하는 백혈구쯤 되는가 보다 가속 페달을 밟는다, 부웅, rpm 4,000의 오르막을 질주하다 주저앉는 계기판의 바늘처럼, 넘지 말아야 할 線과 速度를 알려 주는 아내와 아이들, 오늘은 잠시 잊기로 한다 언덕 너머 가라앉아 있던 교회, 학원, 분식집, 호프집 간판들이 시위대의 피켓처럼 떠오른다 모두들 어디가 불편한가 보다, 아니 내가 불편한 것이다 市는 표정상 이들 때문에 위산과다나 과민성대장증세를 호소하고 있다 나처럼 몸은 자연 치유 능력이 있다는 상식을 칼처럼 들고 견딘 것이 화근이었으리라, 아내는 왜 그리 미련하냐는 말로 나를 위로하겠지, 드디어 콘택600이 출근해 업무를 시작했는지 어지럽다 가출에서 돌아온 감기 바이러스와 한판 붙는 모양이다 市는 아직도 물러가지 않는 아침 안개와 협상 중이다 매일 나는 시의 위장(胃腸)에 주차를 하고 위산(胃酸) 같은 안개 속을 걸어 다니며 눈과 귀부터 천천히 소화되리라, 그것이 업무(業務)고 삶이다

관계

– 나와 나

누구인가?
출구가 없는 내 속에 들어와 사방을 구경한 뒤 신경 다발을 마구 끊어 출구를 만들려고, 점점 무기력해져 가는 나를 지켜보는 그녀

누구인가?
닭갈비집에서 손에 고기 기름을 묻히지 않고 젓가락으로 살점을 발리듯 내 아픔을 집어 들고 맛을 평가한 뒤 휴지통에 버려 버리는 그

누구인가?
내게 웃는 얼굴로 악수를 청하고 꼼짝 못하게 나를 묶어 두고 너무도 지당한 말을 늘어놓아 고문하는 그는?

누구인가?
표적도 없는 화살이 박힐 곳을 찾다가 아무렇게나 박힌 곳, 내 진실의 무덤에 엎드려 우는, 안타깝게

안타깝게

나이기도 한 그대가 나를 살해하고, 살해당한 나를 그리워하
는 그녀

누구인가?

내 속에 걸린 인생이라는 텅 빈 영사막을 지나가며 나를 간섭
하고 유혹하고 함부로 위협하는 그들

관계

해머던지기

쇠사슬의 문장의 끝에 커다란 쇠뭉치를 달아 인간이라는 굴레
속을 몇 바퀴 돌다가 뜨거운 태양의 가슴을 향해 힘껏 던지는
것이다

쿵, 독자 하나가 달려가 길이를 재고는 씩 웃는다

링 체조

하늘로부터 내려와 있는 원형 상징에
십자 굳히기로 매달려 있는 시인의 시(詩)

동과 서, 어느 쪽을 놓쳐도 실격이다

철봉운동

나뭇가지를 놓은 까마귀 한 마리
땅바닥으로 내려앉자
날지 못하는
무수한 나뭇잎들 환호하고 있다

평균대 체조

수없이 추락(墜落)을 경험한 여자
생명처럼 잡고 있던 믿음을 놓고
나비가 되어
믿음 밖으로 날아 내리는 광경

절망과 희망 사이 주어진 외길
연기(演技)를 마치고 집으로 돌아가는

곤봉체조

하늘로 수없이 던져 올려진 물음표들
느낌표로 받아 쥐는 날은

어쩌면 심장의 음악이 멈추는 날
안 보이는 축하 박수를 받는 날

마루운동

발 디디는 곳 어디든 음악이고
흔들리는 어떤 나뭇잎도 갈채여라
올망졸망 아기의 눈빛 안에선

이단평행봉 체조

키 작은 나를 번쩍 들어
수수께끼의 공간으로 올려 주는
사랑?

너는 너의 길을 가고
나는 나의 길을 갈 뿐인데
내게서 너에게로
너에게서 나에게로
나로 인한 너
너로 인한 나이게 하는

곡예(曲藝) 인생

리듬체조

음악의 출처는 생각하지 마라
뛰다 걷다 구르다 바라본
벗어나선 안 되는 사각의 공간
밖에서 나를 평가하고 있는
전능하지 않은 눈 그리고 눈물

그의 이야기 속에 나오는
나무 한 그루 1

그의 이야기 속에 나오는 나무 속에는

몇 겹의 나이테 너머

아름다운 목소리를 가진 새가 살고 있지

한 번 울 때마다 꽃이 피어나는

새가 결혼도 않고 살고 있지

나무가 바람에게서 들은 이야기로만 세상을 꾸며 놓고

구름을 지나 태양의 주변까지

이야기 속을 날아다니며

친구도 없이 슬픔도 없이 살고 있지

그의 이야기 속에 나오는
나무 한 그루 2

그의 이야기 속에 나오는 나무는 그의 이야기 속에
모든 나뭇잎을 털어 흩날리게 하고
천천히 밖으로 나와 나에게 겨울을 예고하는 것이다
나뭇잎들이 떨어져 흩날리는 곳마다 쓸쓸함은 물결치고
창문은 닫히고 집을 나온 종소리가 사방에서 날면
빈손으로 귀향하는 나그네처럼 다시
그의 이야기 속으로 들어가 버리는 것이다

길 44

한쪽 다리를 올리면 다른 쪽 다리가 빠지고
도망치는 길들 위에서 웃는 허깨비들
무엇을 남길 목적이 있어 온 길 아니었지만
산다는 건 하늘로 향한 가지만큼
어둠 저 밑바닥을 향해 뿌리를 내리고 서는 일
바람이여 도망친
온갖 길들 불러와 오늘 밤 나를 흔들어 다오

길 45

　줄다리기를 했습니다 계속 끌려가기만 했습니다 그러나 경기 도중에 줄을 놓아 버리는 건 비겁한 일입니다 나 혼자선 도저히 감당할 수 없을 것 같은 줄 저쪽의 무게를 향해 나는 온몸으로 버티며 외칩니다 제발, 행복했던 기억은 놓지 마! 그렇게 버틸 수 있다니까! 정신을 차려 보면 내 옆에 와서 나의 승리를 응원하는 건 슬픔들입니다 웃음이 납니다

길 46

안티프라민을 바른 허리에 매달리는 바지
끈질기게 냄새를 따라오는 쉬파리
과속방지턱 위로 뛰어오르는 고물 트럭
油價 따라 뛰어오르는 고탄력 物價 엉덩이
내리막을 준비하는 우산 위 물방울
덜컹거리는 하루를 기어가는 배추벌레
발 없는 무와 배추의 장거리 이동
시들시들 차마 뛰어내리지 못하는 아우
노벨 문학상이 기어 올라가는 눈부신 탑
찢긴 기사 위를 기어가던 벌레들의 교미
2014, 앵앵거리는, 전자기타음 깃발
아무리 슬퍼도 울지 못하는 웃는 인형
넘지 말아야 할 황색 선을 따라가다 만나는

길 49

허방다리 있는 줄 알면서 논둑길
발목 걸려 넘어지는 덫을 알면서 인생길

한발 한발 흰 구름 밟고 가고 싶었나 봐
품고 온 구름
산에게 주고 해 넘겨주고 싶었나 봐 노인네

자유

.

귀뚜라미 한 마리가 나에게 왔습니다
잠드는 내 머리 맡에 와서 하소연합니다
내가 볼 수도 없는 틈을 지나
더듬이로 온갖 두려움을 두드리고 지나
우리 아이들의 분노에도 들키지 않고
조금씩 아주 조금씩
내 소란스럽고 부끄러운 일상의 뒤란을 지나
곤충을 무서워하는 아내가 깊이 잠든 시각
하소연하고 있습니다
어쩌면 당신은 나를 잊을 수가 있나요
귀뚜르르 귀뚜르르

깃털 몇 개

자식 생각 중이었을 것이다
툭
유리창에 부딪쳐 생을 마친 새
놀라 주워 보았더니
체온을 떠나
바람에 날아가는 깃털 몇 개
날갯짓을 버리고 가는, 하늘

나날들

투명한 어항 벽에 매달리듯 헤엄치는 열대어들처럼 까만 놈들, 파란 놈들, 빨간 놈들이 끼리끼리 줄을 서서 흰 여백 밖을 향해 줄기차게 헤엄치고 있었다 모든 날들은 벽에 박힌 대못에 걸려 있었다 벽 위의 연속된 추상 무늬처럼 나는 잘도 숨어서 그녀의 신경질을 견뎠다 하루와 하루 사이 골짜기에서 달콤한 즙액들이 나의 감각들을 마비시켰다 나는 도착하기로 한 택배를 기다리다, 착불로 착한 햇빛들을 내 주소로 보내는 누군가에게, 포장을 풀고 오래된 우울의 껍질을 벗겨 답신으로 날렸다 껌 종이처럼 향기롭게 날아가는 시간의 비늘들, 잊고 있던 추억의 여자가 나뭇가지에 걸려 바람과 키스하는 걸 보았다 어항 속에 모이를 넣어 주자 열대어 같은 하루들이 망각을 춤추었다 빨간 지느러미로 물결을 일으켰지만 나의 관심은 수면 위의 먹이를 채 가는 몇 놈의 굶주린 열대어들이었다

담배 피우는 사람

 아침 우편함 문을 열고 어젯밤 내내 써서 본가입납(本家入納)으로 부친 구름 편지를 꺼내는 당신을 보았습니다 불을 붙인 의문들이 재가 되어 날아가고 공허한 메아리들이 자꾸 구름 편지가 되어 발송되는 건 아직 꺼지지 않은 그리움의 불씨가 가을바람이 불 때마다 타오르기 때문입니다 그런 당신의 구름 편지를 기다리는 가을 우편배달부가 당신 마을에 함께 살기 때문입니다

종이 연

뼈가 앙상한 시골 노인들이 회관에 모여 점당 십 원짜리 고스톱을 치는 건, 몇 백 원을 잃고 속이 상해 복수전을 다짐하는 건, 말없이 혼자 지내야 하는 시간들이 깊은 물속이어서, 물속 저 깊은 곳에서 자신도 모를 때 물고기들이 나타나 점점 줄어 가는 말들을 물어 가는 것 같아서, 말을 다 잃어버렸을 때 텅 빈 하늘에 동공(瞳孔)이 걸려 어디를 바라보아야 할지, 누구를 불러야 할지도 몰라 온몸으로 발버둥치는 연처럼, 마지막 줄을 놓치고 바람을 따라 나서야 할 때, 온 길 돌아볼 수 있는 높이까지 찾아갈 말을 뺏기지 않기 위해, 그래서, 그동안 고마웠어요 잘 가요 그 한마디, 자꾸자꾸 고꾸라지다 펄럭이는 손짓

달동네

　어쩌다 보니 달동네엘 갔습니다 온통 달 천지여서 냇물에도 달, 아이 웃음에도 달, 산 위에도 달, 개구리 머리 위에도 달, 달달 무슨 달 쟁반 같이 둥근달 동네 어귀 아이들 노래에서 떠오른 달은 까치밥으로 남긴 홍시 같아서 멀리 달동네를 떠났던 사람도 돌아오게 하고, 달동네엔 달이 너무 흔해 달떡도 만들고, 달 담근 술도 만들고, 달밥도 만들도 달빵도 만들고 그래도 남아서 교회당 마당에 걸어 놓고 아이들은 내일과 내일 사이에 숨은 별을 찾아 한 꾸러미씩 차고 집으로 자러 갔지요 지붕 위에서 고양이가 달북을 치는 소리를 들으며 나는 오래오래 달동네에 살고 싶었습니다 하마터면 달동네에서 나가는 길을 지울 뻔했습니다

강가에서

느낌 하나 골라 던졌네

몇 발자국 뛰어가다 물속에 가라앉았네

납작한 느낌 하나 골라 던졌네

백 미터 달리기로 강을 건너가 넘어졌네

강가에는 수많은 느낌의 맨발이 있었네

더러는 물을 따라갈 수 없었던

기억처럼 아프게 밟혔네

물줄기 밖으로 나온 기다림 위에

넘어져 있던, 배고픈 기억 하나가

동요처럼 풍덩풍덩 강을 건너갔네

여름을 건너는 길

덥다 문을 열어도 덥다

내 속에 있는 여름은 지금 열심히

구름을 만드는 중이다

구름을 모자처럼 쓰고 다니다가 비가 내리면

내가 세상에 온 이유를 흘려 가을로 가자

코스모스가 온통 길거리를 에워 갈 때

가는 길에 잠자리, 매미, 파꽃 데리고 함께 가자

나무늘보네 카페

　별명이 나무늘보인 그의 카페에 가면, 뿌옇게 부유하고 있는 물고기와 저녁 어스름에 잘려 나간 나무 그림자들이 유리창 안으로 쓸쓸하게 넘어오는 게 보인다 바람도 인기척도 없이 뿌리 뽑힌 한 그루 달빛 창백한 골목을 둥둥 떠다닌다 간혹 바람이 불면 나는 그 물고기가 주인을 데리고 커피 향기를 따라 어디로 가지나 않았을까 하는 생각에, 그곳으로 간다

잠시(暫時)

　도망치던 풍뎅이야 날개는 두고 몸뚱이만 잠시 내려와 쉬렴 주렁주렁 꽃등 향기로 비추는 등나무 아래의 시간들아 이제는 팔을 풀고 옆으로 와서 좀 쉬렴 내 주머니 속 알사탕에 든 달콤한 소리를 깨트려 함께 맛보고 가렴 머리 숙여 산사의 종소리를 경배하는 풀들에게도, 천천히, 건물을 올라가고 있는 황혼에게도, 조용조용, 퀵서비스 깃발을 흩날리며 오토바이 곡예운전을 하고 있는 아이에게도 그래, 잠시만, 그대로 멈춰 중심을 들여다보렴 나무의 나이테를 싸고 있는 껍질 사이로 흐르는, 물 좀 마시고 가렴 느껴지니? 유리컵에 물을 따를 때 햇빛이 울리는 소리 비늘 돋친 강물이 헤엄치며 영원을 향해 가는 소리, 눈 저 뒤쪽에서 시작되었을 눈물의 행로, 신발 속에 밟히는 모래알 하나에서 오는 아픔도 살려내 보는 거 가령, 과자 봉지에 들어 있는 말이 바람에 날아올라 새들처럼 운다면 들어 보고 가렴 삑! 경적을 울리며 압력밥솥에서 오르는 김처럼 눈앞의 안경을 잠깐만 흐려 놓고 안을 들여다보렴 눈물로 자라는 꽃 잠시만, 잠시

잠자리 무덤

1

내 집 둘레에 그런 나무들이 있기나 했었는지 손끝이 잘 닿지 않는 가녀린 나무 끝에 날개를 접은 채 미동도 않고 앉아 있는 순수를 잡으려는 거였지요 어쩌면 미농지처럼 얇은 날개 하나의 떨림을 잡고 싶은 것이었는지도, 발소리를 죽이고 한 걸음 한 걸음 손끝이 점점 가까워져 잡으려는 순간, 하늘 높이 날아올라 맴을 그리고는 멀지도 않은 나뭇가지 끝에 옮겨, 비웃기라도 하듯 파란 하늘을 배경으로 치켜든 꽁지를 내리고 잠자는 자세를 취합니다 거의 숨을 죽이고 꽁지를 잡으려는 격정적인 순간의 전율을 놈은 수십 개의 겹눈을 통해 무슨 괴물처럼 나를 보지는 않았을까요 놓여나기를 몇 번씩, 다급해진 마음에 와락 손바닥으로 움키려는 순간 놈은 아주 내 곁을 떠나고 맙니다

2

잡힐 듯하다가 멀어져 간 하늘 저쪽의 느낌들을 꼭 다시 만나고 싶습니다 어쩌다 내게 잡혀 손가락 사이에 날개를 접은 잠자리들은 날개를 떨며 애원하는 자세를 취합니다 그중에는

노오란 알을 몸 밖으로 낳는 놈도 있습니다 나는 그들의 운명을 잡고 있다 하늘에 흩뿌려 버렸습니다 파아란 하늘이 숨을 멈추었다가 가슴속 어딘가로 사라졌습니다

3

내게 잡혀 날개를 접고 있는 것은 더 이상 잠자리가 아닙니다 나의 잠자리들은 높고 낮은 나무 끝에 음표처럼 앉아 숨소리 죽인 나의 접근을 거부하며 고동치던 심장의 음악을 들려주던 것입니다 여인의 연지 빛을 닮은 빨간 고추잠자리의 꽁지도 단지 잔인한 내 상상력에 불을 댕길 뿐이었습니다 날개가 반으로 잘린 잠자리가 날아가다 숲 어딘가에 떨어져 내립니다 꽁지에 풀꽃을 단 잠자리가 나에게서 멀리 더 멀리 날아갑니다 꽁지가 실 끝에 묶인 두 마리가 서로 반대쪽으로 날아가려다 자갈밭 위에 내립니다 세월 지나 황혼을 바라보다 설핏 추억의 실 한 올을 잡고는 내 가슴이 저들의 무덤이 된 줄을 알았습니다

강물 속에 귀를 대고 2

강물 속에 귀를 넣는 순간

바위 밑 어둠 구석구석까지 촉각(觸覺)의 끈이 닿습니다

수많은 돌멩이들 소리, 물소리 모아

거대한 하나인 강을 듣기 위해선

기다려야 합니다

햇살 몇 개를 꺾어 온 길로 돌려보내며

물풀들 사이로 사라지는 물고기 소리

말조개가 열었던 문을 닫을 때

놀랐던 모래들 가라앉는 소리도

기다림이 필요합니다

무지갯빛 비눗방울을 잡고 있는 대롱처럼

물 안으로 들어간 귀가

청각과 촉각을 서로 바꿀 수 있으려면

물 밖의 귀가 들은 것들은

씻은 듯이 흘려버리고 기다려야 합니다

물속으로 들어올 수 없는 잡소리를

흐르는 물의 힘으로 걸러낸 강이

열락(悅樂) 속을 뚫고 다니는 물고기

은빛 소리를 들려주기 시작할 겁니다

돌 밑에 숨어 살던 발 많은 벌레가

잠자리가 되어 하늘을 날기 시작하면

물속에 들어간 귀는

강물이 시작된 먼 하늘에 닿게 됩니다

거기서부터는 귀로 들을 수 있는 모든 소리

시(詩)가 되어 흐르고

귀는 비로소 강과 하나가 됩니다

과학시대에도 시가 존재할까

머리에 몇 개의 전자 칩을 붙이고
전원을 넣으면
피 흐르는 기호가 프린터로 출력되지

다시 녹즙기에 넣고 돌리면
파란 물이 든
가늘고 긴 시가 줄줄이 나오지

그걸 팔팔 끓는 상상의 냄비에다 넣고
삼 분만 끓여 준 뒤
전자 우편으로 그녀에게 보내지
흐뭇한 국물 맛을 즐기는 저녁

그녀의 답장을 기다리는 동안
녹즙기를 청소하고
새로운 야채를 준비하기 위해
잘 길들여진 로봇 개를 끌고
사이버 공간 속으로 산책을 나가지

혹시 산책하다 그녀를 만날지도 모른다는
풍선처럼 부풀어 오른 기대감에 바람을 빼고
다시 칩을 붙이면
고래 뱃속의 피노키오처럼
아주 깊은 바다로 내려가는 밤

바닷속에는 수십 년 전
밤을 새워 가며 시를 쓰던
이상한 족속들의 유적지가 있지

노을이 질 때

물결은 넘을 수 없는 수평선 너머에서
밀려오네 주저앉는 물결
다시 일으켜 보내는 수평선처럼
떼구르르 굴러 와 다짜고짜 방문을 노크하는
아이들의 축구공처럼
여기 또 하루가 주어졌으니 어쩔 테냐
나 몰래 슬어 놓고 간 스팸 문자처럼
서해 바닷가에 서 있었네
안으로 안으로 낙지처럼 숨어들다
뚝 끊어지는 소리
너무도 아프게 잘려 나가는 어둠
그렇게 잃어버리고 사는 날들의
어느 날
바다 먼 어제를 뚝 끊어 버리고
특별하지 않은 하루 구멍을 파헤쳐
맛조개를 잡았네
굴 입구에 소금을 부으면
잠망경을 내밀고 올라오는 맛조개처럼

끝없이 나를 불러내던 소금처럼

치명적인 그리움, 서해 바닷가는

소나무 숲 민박집에 나를 재웠네

저녁 해가 새끼 게들 집집마다

햇빛 한 점씩 넣어 주면

물결이 모래 문을 닫아 주는 바닷가

무수한 문을 닫은 모랫벌

신비한 이야기처럼 풀리는 안개

그때서야 알았네

나에게로 오는 노을과 햇빛 한 점

끝없이 물결을 보내는 바닷바람 같은

수평선 그 너머, 사람

Secret Garden[*]

간혹 문 밖까지 흘러오는 물소리를 듣습니다

문을 열면 끝도 없는 이야기가 무성하게

수초처럼 자라고 있을 것 같습니다 때를 놓치지 않고

놓아줄 물고기를 찾다가, 비밀의 정원을 넘어

당신의 오두막까지 오게 됩니다

나무 대문에 구름 걸어 두고 당신은

예전처럼 돌아오지 않았습니다

굳이 놓아줄 필요도 없이

풀잎에 매어 둔 종소리가 바람 속을 헤엄쳐 갈 따름입니다

* Secret Garden : 노르웨이 출신 뉴에이지 뮤지션. 연주곡 〈Nocturne〉으로 유로비전 송 콘테스트에서 우승. 데뷔 앨범 〈Song From A Secret Garden〉.

물집

정말 봄 햇살 같은 어느 날

너를 쪽배에 태우고

무리해서 추억을 젓고 다니다 생긴 물집

똑 같은 실수

상처가 소집하는 말의 집

터뜨리면 시나브로

딱딱한 껍질로 남아

무얼 만져도 갈증이 되는 날들

견디다

사라져버린 물을 찾아 집이 떠나고

새살로 만지는 기억

그래 너는 떠나고 나는 많이 아팠지

마당이 있는 풍경

삐거덕, 낡은 나무 대문이 열리면

별들이 내려앉은 기와지붕이랑

대추나무랑

그 집 방 한 칸에 우린 세 들어 살았습니다

앞마당 두레박 우물 속엔

눈이 퇴화된 붕어들이 살고

내 신발을 물어뜯고 마루 밑으로 숨던

늙은 개 한 마리 살고

동갑내기 주인집 딸도 살았습니다

창호지문에 붙은 작은 유리조각 너머

눈 속에 검정 고무신 묻히는 밤

어머니 저자거리 이야기가 라디오 드라마가 되고

그 애를 위해 분유깡통에 하얗게 피던 망초 꽃들

삼포라던가 바닷가에서 온 술주정뱅이

술 먹으면 꺼이꺼이 울던 사연 옆방

모퉁이를 돌아가면

늘 말이 없던 이발사 웃음 세월에 깎여 가는 걸 보며

밤마다 천장에선 쥐들의 육상 경주가 열리고
알전등에 비친 쥐 오줌 지도를 보며
주인집 딸애와 먼 항해를 꿈꾸기도 했지요
마당가에 핀 과꽃 같은 웃음
문틈 새로 새어들던 여름은 지나가고
마당을 가로지르던 수많은 발자국처럼
그렇게 포개 놓고 지워진 입술

쩡쩡 머리맡 물그릇 어는 소리에
서로의 꿈 자락 당겨 덮으며 나던 추위
손가락이 쩍쩍 붙어나는 문고리에
내 지문을 붙여 놓고
우린 다음 해 이사를 했습니다

마당이 있었으면 좋겠습니다
마당엔 우물도 하나
거기다 유리구슬도 묻어 놓고
눈이 퇴화된 붕어도 다시 놓아주고 싶습니다
나만 보면 마루 밑으로 숨던 늙은 개
물어뜯을 신발도 하나
놓아두고 살았으면 좋겠습니다

은유로 나는

고추잠자리

구름 공장이 있는
마을

관념의 마을에 문을 만드는 일은 쉽다. 일단 아무 생각이나 오래 붙잡고 있으면 문이 생긴다. 그냥 들어가 밖의 세상을 잊으면 문은 자동으로 닫힌다. 문을 열고 들어가 만드는 것은 다 내 것이다. 도시 하나를 만들 수도 있다. 시장이 될 수도 있다. 천국으로 가는 계단을 건설할 수도 있다. 굳이 땀을 흘릴 필요는 없다.

그러나 그 속에 오래 살려면 한 가지 조건이 충족되어야 한다. 감당하기 어려운 세금이다. 외로움을 지불해야 한다. 그걸 오래 견딜 수 있는 사람은 없다. 그래서 다시 문을 만들고 관념의 마을 밖으로 나와야 한다. 외로움을 덜어 줄 친구를 관념의 마을로 데려가려면 마을을 근사하게 꾸미고 포장해서 보여 주어야 한다. 그러나 나를 따라오는 그 친구도 내 마을이 아닌 자기 관념의 마을로 들어가는 것이다. 들어가는 문과 나오는 문이 같아 착각을 할 뿐이다.

자기가 원하는 대로 만들어진 마을, 그래서 영원히 그곳에서 살고 싶지만 지불해야 할 외로움을 견디지 못해 관념의 마을을 내 밖에다 건설하고자 할 때부터 사람들은 동지와 적으로 분리된다.

구름은 관념의 마을에서 가장 흔한 건축 재료다.

안개도시

– 저 높은 곳을 향하여

좁은 하수도만으론 감당할 수 없어 맨홀 뚜껑을 밀고 솟구
쳐 오르는 흙탕물, 아픔을 한꺼번에 감당할 수 없어 터지는
절규, 잠든 사이, 물 밖으로 목을 내밀고 헐떡이는 꽃, 문 앞
에 쌓아 놓은 모래주머니 둑이 무너지고, 체면과 자존심도
덩달아 무너지고, 정말 올해는 뜨겠다던 결심이 스티로폼처
럼 떠올라, 뿌리째 둥실둥실, 잊을 수 없는 곳으로 떠내려가
는 도시, 잠든 사이, 거대한 강으로 변한 도시에서 높은 세상
으로 연장되는 뱃길, 버스 정류상 표지 앞에서 고무대야 배를
타고 국자로, 주걱으로 노를 저어 가는 안개 밖의 길, 상습 침
수지역을 근본적으로 해결하겠다며 표를 부탁하던 그, 침묵
을 향해 가는 고무대야 배 한 척, 높은 세상으로 가는

안개도시

– 외딴 집 혹은 안개의 독백

아직 오지 않은 평온을 안고 재우는 때 절은 소파, 오래 눌린 미안함이 꽉꽉 채워진 스펀지 위에, 세상에, 낡아서 줄어든 탄력만큼 불편해진 상실(喪失)이 일주일 내내 거실 소파를 차지하고 습관적으로 TV를 틀지 양심도 없는 것들, 어쩌면 이렇게 재탕들뿐일까, TV 없이 세상을 견디기 힘들다는 이 태백들의 상식이 몇 년 새 스마트 폰으로 대체되고 나서 더 그래, 아이들은 바로 옆에서 자기들만의 먼 나라를 살다 정말 먼 나라로 이민을 가지 외롭지는 않은 것 같은데, 쓸쓸하지도 않은 것 같은데, 전화 한 통도 없고 갈 곳도 없어 죽을 것 같아 그래도 외로움 때문에 죽는다는 게 말이 되니? 아직 이 외딴 집에 산다는 건, 두려움에 조금 가깝다는 뜻이지만, 세상과 화해하기 싫다는 뜻은 아니야 복잡해 할 것은 없어 안개가 벽에게 얼마나 많은 말을 한 후에 흔적을 남기는지 생각해 보라고 오히려 간절하게 더 나은 세상을 꿈꾸고 있지 발코니에 꼿꼿이 서서 말라 버린 산세비에리아 화분처럼 저항도 한번 못해 보고 세상 종치고 싶지는 않아 사막 식물이라고 너무 믿었던 게 부른 화(禍)지 뭐 쥐들이 굶어 죽은 걸 본 적이 없다는 논리와 비슷한 거 아닐까 수천 번 안개의 충고를 들었던 집이 그냥 맥없이 철거되던 날, 내 속에서 뿜어져 나오는 안개들을 보았어 그게 시라고 생각해? 그래? 일시적인 게으름은 인간이 누릴 수 있는 창조를 위한 마지막 저항이라고, 듣고 있나?

도시 이야기

*

도시가 정장을 입고 있다면 나는
안감에 붙은 여벌용 단추는 아닐까 생각하다
오랜만에 길거리로 나갔습니다
여자애들의 비뚤게 쓴 모자 꽃무늬 챙에서 내려와
잠시 은행나무 포즈로 서 있는 햇빛
검푸른 넥타이는 보기 좋게
도시 한가운데를 지나가며
추상적인 물무늬를 발사하고 있습니다
우리가 찾는 것이 물무늬 같은 것이어서
언제나 거기서 반짝여 준다면
당신처럼 노래처럼 반짝여 준다면 도시도
비 개인 밤하늘에 솔부엉이 한 마리
나대신 부엉부엉 울어 준다면

*

내가 사는 도시는 양복에 운동화를 신고
황사 얼굴에 기침을 하며 조깅을 합니다

넥타이를 당겨 보고 가는 바람처럼

서로의 말에 걸려 넘어졌다가도

일어서선 정중히 사과하는 사람들이 삽니다

언제나 긴장하는 아스팔트 도로가

마을 어귀에서 색깔을 바꿔

과속방지턱으로 사람들에게 시비를 겁니다

무주택자가 된 비둘기들이 자존심 버리고

번개시장이 끝난 길 위를 청소합니다

선거 때가 되면 양복의 자유가 불편해

가끔 기름때 묻은 작업복으로 갈아입지만

치외법권자가 된 시청 지붕의 비둘기들도

구름 속에서 만나고 온 내일을

함부로 발설하진 않는 관습이 있습니다

밤이면 제자들의 연구를 훔쳐 가는 고양이가

잠자리를 뒤지러 찾아옵니다

*

내가 가르친 아이들은

시장이 될지도 모릅니다

붉은색 넥타이처럼

도시 진입로에 예쁜 튤립 화단을 꾸미고

주름 잡히게 잘 다려진 이슈를 걸치고

그린벨트를 풀어

부끄러운 도시의 치부를 가리겠다고

장밋빛 내일을 믿어 달라고 호소할 겁니다

문학시간에 가르친 아이러니를

이마 주름을 가리는 모자처럼 쓰고

교복을 입도록 강요한 대로

정장을 입지 않고 창의적으로

멋지게 손 흔들 줄도 알게 되는 건

나 같은 교사보다

도시가 가르치는 것이 더 많기 때문입니다

                    *

폭염에 말랑말랑해진 아스팔트길을 걷다 보면

한평생 깨끗하게 사는 일도 녹록치 않구나

녹아 거대한 검은 늪지로 변해 가는 길들 위에서

발이 빠지기 전에 빨리 다른 발을 옮겨야 하는

착한 도시인들의 삶이 내 발바닥에 붙어 옵니다

                    *

순례자들은 모두 과거를 걷고 있지만

사실은 미래로 가고 있는 사람들

미래로 가는 길을 몰라 과거를 걷는

꺼먼 벌레 몇 구가 들어있는 가로등 전구
그 환한 빛 아래서의 죽음을 목격하며
언제 어떻게 전구 속에 들어가 갇히게 되었는지
들어갈 수도 없을 것 같은 미래
그 틈새를 나오지 못한 삶을 애도합니다

                    *

연애를 하고 싶습니다
정장을 입고 있는 도시와의 가슴 뛰는 연애
낡은 츄리닝 따위나 걸치고 나를 불러대는 시골은 이별하고
자꾸 나를 외면하는 가난한 정신 따위와 이별하고
뜨겁게 도시와 연애를 해 보고 싶습니다

수없이 회전하며 글자를 찍어 던지는
전자 광고 간판 뚜껑을 열면
무수한 전구들이 반짝거릴 준비를 하고 있는 도시
암호를 풀며 암호가 되어
그녀를 지나가고 싶습니다

                    *

불쑥불쑥 솟아 있는 빨간 십자가들
까만 정장을 입기 시작하는 하늘
오래전 불 꺼진 사내들이

다 타 버린 이슈를 길거리에 뿌리면
불씨가 되어 돌아다니는 記事들
화려한 외출을 준비하는 도시

안개도시

– 건강한 습관

내일(來日)을 훈련시키기 위해 방 안에서 운동을 하고 있어 서서히 지쳐 가는 허무의 손끝과 방바닥을 왕복하며 끊임없이 농구공이 튀어 올라 비명을 지르는 것은 아무것도 모르는 바닥, 오늘이야 그렇게 단련시키며 견뎌온 날들, 이젠 충분히 건강해져야 하지만, 세상은 녹록치 않아 아직도, 제집으로 돌아오지 않은 것들을 위해 지붕이 있고 문이 있고 마당이 있는 집, 나는 매일 출근을 하며 기다리고, 술을 마시다 기다리고, 기다린다는 사실조차 잊고 기다리다 무언가 해야 할 것이 있다고 생각하면 농구공을 튀기는 버릇이 있지 조금 더 건강해졌다고 생각하는 날, 창문에 떠오르는 달은 만나러 갈 어둠을 빗질하고, 앞마당을 벗어날 수 없는 개는 목줄에 묶여 달을 짖지 이들을 만날 수 있다는 건 오늘의 근육이 조금 단단해졌다는 증거, 나는 은혜약국 앞 네거리에서 서서 냇물이 흘리고 간 꽃잎들의 붉은 한 철을 사러 가지 밤새 안개들이 핥다 간 집은 비워지고 고요가 살러 와 집은 조금 더 멀리 떠내려가 잠자는 오후 네 시 가까이

안개주의보

또 안개가 몰려와 있다 자정 가까이
주차해 놓은 창안을 들여다보는
안개들의 도시
늦은 귀가를 따라 붙는 안개가
주머니에도 가득하다
있던 것들이 사라진 자리에 차오르는 안개
방문이 열리고 먼저 잠든
아이들의 얼굴을 내려다볼 때 흩어지는 안개를
아내는 보지 못한다
아내가 보는 건 내 술
냄새 속에 들어 있는 알코올의 주소다
안개보다도 희미한 그걸 금방 알아내는 아내
오랜 연륜에서도 피어오르는 안개
들키기만 하면 상대방에게 옮겨 붙어
영락없이 안개가 되는 것들을
나는 덕지덕지 붙이고 다닌다 왜
아내 혼자서 그걸 털어내느라
생선가시 같은 말을 뱉게 하는 것인지

대사관 문턱을 넘으려는 탈북자들처럼

자정 근처, 필사적으로

그러나 아무것도 아니라는 듯 경계를 넘어오는

안개가 짙어 똑같은

오늘은 비가 내린다

이럴 때 아내는 방문과 창문을 닫아걸고

거울의 방 안에서 외출을 한다

아내가 다니러 가는 곳엔 안개도 나도 없을 것이다

화장도 하지 않은 아내는 누굴 만나고 있는 것인지

안개는 영락없이 내게 와 있다

언제나 나의 백그라운드이고 수호신이고

치명적 약점인 안개

그걸 무기로 삼을 줄 알게 된 아내와

그래서 나는 아직까지 한방을 쓰며 살고 있다

어느 날 나는 사무실 문을 닫고
계단을 내려올 것이다

사무실에 코를 고는 한낮이 찾아왔다

출근할 때 가쁜 숨을 쉬며 올라왔던 계단을

시간도 밟고 왔는지

오다가 출근을 잠시 지연시키던 바람처럼

정원의 장미꽃을 온통 피워 놓고 왔는지

책상에 엎드려 잠든 머리맡에

메모만 달랑 남겨 놓고 간 친구처럼

계단을 내려갔는지

애써 먼 길을 온 목적을 놓치고 빈손으로

설계된 자신의 꿈으로

쓸쓸히 돌아가는 보험설계사처럼 갔는지

녹스는 시간을 닦으며 돌아갔을 수많은 손길

반질반질 빛을 내며 굽이굽이 내려가는 철제난간처럼

그도 허무(虛無)를 닦으며

아니면 허무에 의탁(依託)해

한 발 한 발 무겁게 계단을 내려가지 않았을까

맨 아래 계단을 내려서며

서글픔도 내려놓고
또 다른 풍경을 열며 나를 닫고 가지 않았을까

지상으로 지하로 공간을 확장하던 인류가
훌쩍 하늘을 건너가 별 하나를 먹어 버리던 날도
낮잠 없는 나라 지상의 세일즈맨들은
식곤증이 몰려오는 한낮 도로를 건너
작은 인연의 줄을 당기다가
차마 입도 떼기 어려운 대사를 외고 또 외며
한 계단 한 계단 올랐으리라

잠에서 깨어 꾸는 선명한 꿈, 몇 년 후
나는 영화관 문을 나설 때처럼
나를 따라 올라갔던 계단들을 내려놓으며
사무실을 나설 것이다
또 보자는 슬픈 악수를 웃으며 나누고
근처 국숫집에 들러 국수도 먹고
출근 책상에 놓여 있던 사탕 같은 웃음
후임자(後任者)의 서랍 속에 놓고 온 메모는
집으로 돌아와도 웃을 것이다

일하다 하루 한 번쯤 창문을 열어 보세요
창밖의 시간에게 말이라도 붙여 보세요

지하철을 타는 저녁

악당에게 잡혀간 연인을 만나기 위해
지하세계로 가는 영화
여긴 그런 이야기의 심장부로 가는 식도쯤?
지하도 입구엔 찢긴 무관심을 갑옷처럼 입고
통행자를 검열하는 걸인(乞人)이 있다
주머니 속 쩔렁거림을 털고 가벼워져
동정심(同情心)의 아래층으로 내려간다
더듬이를 잃고
쳇바퀴 속을 돌고 있는 말세론자의 말과
거미줄처럼 들러붙는 노숙자의 눈빛
바구니 속 동전들의 경고음 다시 울린다
거머리 알처럼 머릿속에서 부화하는
발모제, 아파트, 화장품 광고 광고 광고
저들이 이정표가 되기도 하는 사람들은
지상의 햇빛을 싫어하는 두더지 같다
자성(自省)이 퇴화된 악당은 보이지 않는다
악마는 천사로 위장하기도 한다는데
천사 같은 사람도 보이지 않는다

누구에게 길을 물어야 할지, 우울한

기다림의 냄새에 갑자기 빨라지는 발걸음들

안산(安山) 방면은 4호선으로

친절한 여주인공의 목소리는 사라지고

정확한 시간에

제물을 받으러 오는 신화 속의 괴물처럼

길게 트림을 뱉고 미끄러져 오는 아나콘다

혼자서는 감당하기 어려울 만큼 무거운

쓸쓸함을 끌고 가며 허둥거리는 노인

떠밀려 가는 방향 어딘가 사랑하는

아내가, 아이들이, 어머니가 있을 것이다

싸워야 할 적이 보이지 않는 지하세계

지치고 다쳐서 찾아가는 철로 저편

아나콘다도 재미없는

이야기의 심장부로 사라지고, 또각또각

부러지는 시간이 녹슬지 않는 어둠에 꽂힌다

안개도시

— 한글로 서포에게

   혁명전야 같은 불금이라네, 사람들은 의기투합하여 명분을 만들고, 고작 기다리던 술집으로 가기 위해 들뜨기 시작하지 속물이라고 비난하지는 말게 그렇게 모여 마시고, 분개하고, 부축하며 우리는 자네처럼 자기 몫의 유형(流刑)을 살고 있는 거니까 학교, 공장, 술집으로 작동하는 도시 엔진을 돌리는 일이기도 하네 그렇게 매일 출구 없는 큐브를 맞춰가다 드디어 문이 열리는 날은, 틀림없이, 하얗게 눈이 내릴 거네 아니면 공지천교(空地川橋)에 벚꽃비가 내릴지도 몰라 그래야 하지 않겠나 그러나 오늘의 회합은 작년에 조기명퇴를 하고 귀촌을 한 김 부장이 텃밭에 기른 고추와 쌈 채소를 가져 오는 게 전부라네 성진(性眞)처럼 도(道)에 대해서도 말하지도 않고, 양소유(揚少遊)처럼 출장입상(出將入相) 팔선녀도 없으니 굳이 허무도 이야기하지 않네 자네도 강 하나 훌쩍 건너와 오늘 다시 구운몽을 쓴다면 분명, 오늘의 이 불금 회합을 길게 이야기에 할애했을 거라고 믿네 그래도 가시지 않는 그리움이야 내 몫의 꿈이고 자네 몫의 신념으로 남겨 두겠네 이제 안개 따윈 거두고 오늘을 다시 말해 주지 않겠나

테드 휴즈의 시작법을
다시 읽다

윙 윙 윙 천장형 선풍기가 돌며 형광등 불빛을 반사시킨다 불빛들은 도망칠 곳을 찾다가 벽 위에서 사라진다 다섯 개의 전구 중 세 개는 주인처럼 침묵시위 중이다 두 개의 불빛만으로도 충분한 저녁 한때 늘어진 형광등 줄 스위치 끝에 달린 유리 추, 추가 장식하는 공간에 장식이 필요 없는 사람이 앉아 있다 그는 테드 휴즈의 시작법을 보고 있다 누렇게 빛바랜 책장을 넘기며 책이 집에까지 오게 된 사연을 생각하며 기억을 뒤적거린다 아내는 물이 뚝뚝 떨어지는 손으로 주변을 왔다 갔다 한다 기어코 책 위에 물방울을 떨어뜨린다 물방울이 떨어진 책장은 금세 홍역 앓는 얼굴처럼 부풀어 오른다 그러나 책은 홍역을 앓지 않는다 그건 아무 일도 아니다 수많은 책과 대면한 그는 어떤 책도 뒷골목이 있다는 사실을 간파했다 그곳은 말하기 곤란한 잠자리처럼 매력이 있다 에어컨이 없는 빈민가 길 옆집, 자정을 넘기면 반쯤 열려진 창문으로 TV 불빛이 퍼렇게 비치고, 속옷 차림의 여자가 아직 백지 속으로 떠나지 않고 남아 있는, 그 이유를 묻고 싶어지는 저녁이다

나무 위로 출근하는 남자

나무 위로 출근하는 아침입니다 심어 놓고 물 한번 주지 않아도 잘 자라는 나무, 퇴근해서 집에 오자마자 잠들면 더 잘 자라는 나무, 사람들은 저마다 그런 나무 한 그루씩 가꾸며 삽니다 포르말린으로 소독한 여우 심장을 하나 여분으로 주머니에 넣고 밤이 되어 퇴근할 때 사다리로 쓸 알약 몇 개 챙겼지요 아득한 가지 위에 서 있을 때 바르르, 살아 있음의 생생한 증거, 감사해야죠 남들이 보지 않을 때 올라가려면 비유를 능수능란하게 탈 줄 알아야 합니다 나무 위에 출근하면 매연으로 지워진 별을 다시 그려 넣거나 바쁜 사람들을 대신해 도시 하늘에 새들을 만들어 날립니다 잠시 딴생각을 하면 날개가 달려 날아가는 눈물과 희망이 먹구름이 돼 버리지요 오늘은 새들을 만들 구름이 모자라는군요 월급을 요구하는 아내와 한바탕하느라고 잠을 설친 때문입니다 아내가 그릇된 건 아니지만 이건 천직(賤職)이 아닌 천직(天職)이므로 보수는 고스란히 하늘에 가서 청구해야 합니다 그때까지는 새들의 자유가 위안입니다 설명하기 어려운 이 직업은 언제부턴가 직업지도에서 작가라는 분류로 묶이게 되었습니다 부끄럽습니다 하지만 낙엽 몇 개 떨구는 퇴근 인사에 하늘을

쳐다보는 누군가가 있어 내일도 다시 나무 위로 출근을 할

겁니다

백화점에서

그냥 서 있으면 아래로 내려가는 계단이 있다
맨 아래층엔 온갖 먹을 것들로 가득 차 있다
끝까지 내려가 본 적은 없지만
자동으로 내 속 맨 아래층까지 데려가는
계단이 있을지도 모른다
거기엔 내가 이제껏 본 적도 없는 화려한 기억들
억울하다 싶을 만큼 싼 가격표를 달고
수많은 사람들을 기다리고 있을지도 모른다

그냥 서 있으면 구름의 문 앞으로
데려가는 계단이 세상에 있기는 있었다

청설모 한 마리가
도로를 무단 횡단했다

　수동보다 자동이 좋아 자동으로 집에 도착, 죽었던 슈퍼마
리오를 다시 살려내 밧줄을 기어오르게 하고 구름이 지나가는
사다리를 기어올라 허공으로 사라지게 했다 거룩한 일상의 기
록으로, 죽었던 의욕과 분노가 다시 살아났다 발기한 두뇌,
나의 왼쪽 성(城) 기억들, 자동으로 지나가는 구름 속에서 청
설모 한 마리가 툭, 떨어져 달아났다, 여기 있어, 달력의 빨
간 날처럼 툭, 고양이가 나무 위에 올라가 새끼 새를 훔치다
떨어진 것처럼 툭, 어디서든 떨어질 준비를 하는 반복된 연습
들, 죽음도 연습처럼 어느 날 툭, 그런 세상이 올 것 같은 날,
청설모 한 마리가 도로를 무단 횡단했다

셀카

*

너무 가까이에 있어 알 수 없었던 내 모습 붙잡기 위해
팔을 조금 더 연장할 필요가 있었습니다

*

누군가 나를 위해 몰래 준비한 선물
장롱 위 종이 상자 속 새 구두처럼
오늘 조금은 생경한 나를 신고 당신을 만나러 가겠습니다

*

구름 속의 나는 아직 도착하지 않았습니다
비가 그치려면 조금 더 기다려야겠습니다
이번엔 깨끗하게 씻긴 괴꽃 옆에 앉아 보렵니다

*

쾅 소리가 나도록 닫히는 문 안쪽에 나는 들어갔습니다
그 속에서 수많은 문을 여느라 한나절을 앉아 있었습니다

*

얼굴을 확대하자 코도 귀도 입도 모두 밀려나 사라지고
눈만 남았습니다 눈 속엔 별빛이 이주해 와 있습니다
별 빛이 아니라 조도(照度)가 조금 모자라는 실내등입니다

*

사각의 액자 속에 나를 밀어 넣었습니다
이사 오기 전 유년의 방 안입니다
카페 창문 속에 오래 앉아 있던 내가
무슨 얘기를 하는지 지금부터 들어 보아야겠습니다

*

나를 돋보이기 위해 좋은 배경이 필요하다고
그런 생각 속에 들어가 찍힌 나는
그만 배경을 어지럽히는 피사체일 뿐이었습니다

구름 공장이 있는 마을

줄줄이 아래로
엉킨 털실을 다 풀어 내리고 텅 빈 말풍선이 되는 구름
구름 위에서는 소리치지 말자
구름 위로는 내 잠자리를 깔지 말자
구름 뒤에는 숨지 말자
구름의 이름을 만들어 함부로 부르며 놀지 말자
가끔씩 슬쩍, 구름은
내 머릿속에서 흘러가 버리고
그런 날은
산뜻하게 개꿈을 털고 잠자리에서 일어난다

구름을 먹고 헛배가 불러진
구름이 돌아오고 있다
나를 주눅 들고 겁먹게 하는 구름들
내 발을 떠오르게 하는 구름들
드럼통 속 빗물에서 꿈틀거리던
빨간 장구벌레들의 번식력으로
어디서 독을 얻어 왔는지

빗줄기에 쏘인 상처, 구름이 풀어 놓은 꿈
치유하기 위해선 구름 없는 하늘을
보여 주기만 하면 되지만

시간이라고 불러도 구름이 되고
사랑이라고 불러도 구름이 되고
죽음이라고 불러도 구름이 되는
구름나라에서 살며
구름 강에서 어부들은 그물을 던져
비늘 번쩍이는 물고기를 잡고
구름밭에서는 떡잎이 실한 詩가 자라고
가끔씩 따다가 삼겹살을 싸서 소주를 마시며
캬! 목구멍 너머 구름 공장으로
시원 씁쓰름하게 넘어가는 하루
아무리 씹어도 갈증인 구름을 먹는 식사

친구들은 비타민C처럼 병문안을 온다
노란 구름들을 들고 이상하게
살이 오른 친구들은
심심한데 빨간 비디오라도 빌려줄까?
가져온 농담을 억지로 밀어 넣고
말문을 닫아 주고 간다 출구가 닫힌
구름은 고스란히 내 속에서 피어오르고

병실문 밖 긴 복도 끝에는

계단

내려가면 언제든 대기하고 나를 기다리는

구름나라로 가는 택시들, 길들

해바라기의 잠

　매미들의 구애는 아무 나무에나 아르바이트 구함 쪽지처럼 붙어 있다 저 울음과 울음의 영역 경쟁 밖으로(그들의 일이니까) 콩나물, 두부 사러 마트에 갈 때 보니 있던 자리에 없다 누가 날려 버렸을까? 아파트 화단에서 해바라기하던 꽃잎들은 말라비틀어졌고 들며 나며 쳐다보던 사람들 눈길이 끊겨서일까 고개 숙인 해바라기, 벌써 꿈을 살라 버린 듯 씨앗이 까맣다 잠이 더 무서웠을까 아내는 우울증 약을 쓰레기통에 버렸다 예고된 엘리베이터 수리가 고장나 6층까지 걸어올라갔다 인간이 버튼 하나로 올라갈 수 있는 높이를 생각하는데 다리가 후들거렸다 몰래 키우는 개처럼 층마다 문 뒤에 묶여 혓바닥을 늘이던 문 그림자들, 혼자만의 정적을 놓치고 내 그림자 속으로 파고든다 왼쪽 발 앞에 오른쪽 발 뒤에를 반복하면 나왔어 문 열어~

정직(正直)한 구름

나는 구름나무, 나를 타고 올라가세요
내 머리에는 새알 두 개
방금 전 몰래 당신에게서 가져와 품고 있지요
새알 속에서 새 새끼가 깨어나는 시대
정직했지만 흥미롭진 않아요

새알 속에서 탁구공이 태어났어요
당신은 탁구공처럼 튀어 다니며 웃겠지요
파란 대문을 열고 들어가세요
파란 대문을 닫고 탁구공을 굴려 넣으세요

고양이와 물고기가 결혼을 해요
삼 분 후에 이혼했어요
물고기는 고양이에게 위자료로 강물을 주겠대요
강물은 물고기의 전부라고요

고양이는 그럴 수는 없다고
차라리 자신의 발톱을 잘라 버리겠다고 말해요

발톱이 없는 고양이, 발톱 없는 고양이…….

차라리

나는 구름나무

나를 타고 이야기의 끝까지 가 보세요

내가 정직하지 않다는 생각

자체가 정직하지 않답니다

모두 정직했지만

구름은 차원이 다른 얘기라고 그냥 흘러가요

그냥 좋아서 갈 때까지 가 보는 거죠

구름이 내 생의 강물을
건너갈 때

갓 허물을 벗고 나온 잠자리의 하루
은사시나무의 무수한 은빛 가지 위로 지나가는 바람
달리는 차창에서 언뜻 본 얼굴
휴게소에서 하루를 사는 여자 종업원의 지루한 오후
웃음의 아랫목에 누워 있는 당신의 삶
무엇이어도 좋을 구름이
내 생의 강물을 건너갈 때

사월

꽃모종 몇 개를 사다 빈 화분에 심었다
누가 불러냈을까
흙을 덮고 잠자던 빨강, 연두, 보랏빛들
사월 비바람이 길바닥에 그려 놓은
노란 송홧가루 그림 속으로 가
허공 가득 웅웅거리는 소릴 들으며 가
봄바람이 불러올 수 있는 것들 속에
함께 서 있고 싶다
태안씨 부르는 소리에 뒤돌아 보다
내가 내보일 수 있는
붉은색이란 붉은색은 모두 불러내는
철쭉꽃의 사랑에 말 걸고 싶다
파란 싹을 틔울 수 있는 기억 한 마당 일궈
호박이든 땅콩이든 심고 기다리고 싶다

구름의 뿌리가
자라기 시작했다

구름은 권력처럼 지상으로 내려오지 않는다
잡고 싶지만 바라볼 수밖에 없어 구름이다
구름은 온갖 색깔로 나를 들뜨게 했다

가라앉기만 하는 나를 지탱하기 위한
궁여지책
변명이 목에 걸려 뿌리가 내리는지
목구멍을 간질이며
십여 일째 기침이 멎지 않는다
아예 목을 들어내겠다는 듯 고집불통이어서
전화를 받다가도, 손님이 찾아왔을 때도
난감 백배다
나를 찾아온 구름을 다스리느라 잠도

속 시원히 밖으로 뛰어나오지 않고
숨어서 목구멍을 간질이는 강적
병원엘 가서 엉덩이 주사를 맞았다
간호사는 어줍게 까 내린 내 엉덩이를

손바닥으로 찰싹찰싹 때리다가
조금 아파요
쿡, 주사 바늘을 꽂아 넣는다
나 대신 싸워 줄 우군이 몸속에 들어왔다
약도 먹었다
리비아 내전(內戰)처럼 격전장이 된 내 몸속

반군의 죽음을 애도하는 눈빛으로
얼굴 밖에 조기(弔旗)를 내걸고
오후가 되면 또 약을 먹었다
걱정해 주는 사람들에게 곧 종전을 장담했다
그러는 사이
연합군은 시민을 향해 오폭을 하기도 하고
열과 슬픔이
아이들을 향한 미미한 짜증으로 와전되었다

구름이 싸움의 발단이었으리라
구름을 지키기 위해 혹사시킨
몸의 뜨거운 반란, 쉽게 적출해낼 수 없는
끈적끈적한 구름 덩어리
어두컴컴한 저 아래
탁 뱉어내면 환해질 한마디를 감추고
구름 하나 뿌리를 내리기 시작했다

바다로 내려가는 길

수백 번 돌고 돌다 뚫린 그물코를 찾아낸

그물 속의 물고기처럼

수천의 날 매듭, 뚫린 그물코를 찾아낸 날

바다로 내려가는 길은 멀지 않습니다

책상 위 마우스를 잡다가 굳어진 어깨를 풀고

주머니와 한 식구가 된 손을 빼

낯모르는 느낌 만나 악수하면

매일 굳어 있던 습관이 허물어지듯 길을 내고

경사면을 오르는 억새

머리를 쓰다듬어주는 바람의 바다가 보이지요

바다로 내려가는 비탈길엔

여행객마다 잠을 깨우고 갔을 바위들

아직도 땅속에다 머릴 묻고

곤한 잠을 자고 있습니다

더러 잠을 깬 작은 바위들이 짧은 비명을 지르지만

여행객을 내동댕이치는 일은 드뭅니다

수십억 년 동안 잠든 적 없는 바다의 말을 듣고

조약돌마저 둥글어지는 바닷가에서

구름은 수평선 너머에 귀를 대고

들은 대로 느리게 모양을 바꾸고 있습니다

바위 사이 거품을 청소하던 작은 게들은

인기척에 놀라 문을 닫고 나오지 않습니다

오래 이들을 달래

바위 밖으로 데리고 나오는 바다를 보다

아이들은 손뼉을 치며 신기해하고

나는 휘어져 돌아가는 모래펄을 애인 삼아

아이들 몰래 사진 한 컷을 찍었습니다

어린 호기심에 바위에 기어올랐다

미처 바다로 돌아가지 못한 작은 홍합들에게

물을 뿌려주고 아무 일 없는 듯 돌아가는

바다로 내려가는 길은 멀지 않습니다

일상의 단추 몇 개를 풀고

꽁꽁 숨겨두었던 내 가슴을 만나러

바다로 내려가는 길, 멀지 않습니다

구름 계곡

– 시인의 죽음

　이젠 잠들어도 좋아요 시인은 죽었습니다 생전에 잠들 때까지 별을 보고 싶다고 했던가요? 밀가루 반죽처럼 구름을 가지고 노는 자유는 어떤가요? 당신이 어렸을 때부터 쓴 오목렌즈 안경 속처럼 회오리치고 있는 기억의 터널을 지나 당신이 가 있을 것 같은 구름 계곡엔 지금 노을이 들고 있습니다 이젠 당신의 시에서 휴식이란 말이 사라질지도 모르겠군요 울음이란 말도 어울리지 않겠군요 그런 말들이 있는 곳엔 당신이 없을 것입니다 깨끗한 영혼이 상처받는 일은 지상의 일이니까요 이젠 마음껏 잠들어도 좋습니다 시인은 죽었습니다 가족을 부르며 우는 일만은 하지 말아 주세요 노을이 어두워질 수 있으니까요 어둠 속을 걷던 한 사내가 당신처럼 그만 걸음을 놓아 버릴 수 있으니까요 이젠 새벽에 일어나 시를 쓰지 않겠지요 슬픔과의 인연은 어제까지였습니다 구름처럼 그냥 흘러가 보세요 시험을 보고, 결혼을 하고, 아이를 낳고 아이가 자라서 당신을 닮아 가는 건 지상의 법칙, 당신처럼 꼬리를 떼어내고 말하고, 당신처럼 굴러다니며 잠들다가 어느 날 어른이 되는 슬픔을 혼자 걸어가는 법칙은 지상에서만 통하는 은유, 별들이 떨어져 있는 구름 계곡에서 이제 당신은 첫 잠에 들겠지요

슬픔도 눈물도 없는 곳이라면 이미 당신은 시인이 아닐 테니

이젠 편히 잠들어도 좋아요 시인은 죽었습니다

구름들

희망이란 밧줄에 결박당한 인질이
어느 날 말을 걸어온다
야, 나를 가지고 장난치지 마!
나를 이대로 버려둔다면
그냥 두지 않을 거야
내가 나에게 협박할 수 없다는 걸
모르는 바보다

잠들고 있는 그늘을 닫는다
무수히 벽을 타고 오르다 무너지는
땅꾼들 항아리 속 뱀들의 침묵
독보다 무서운 희망이 고여 있는
깊고 무서운 그늘을 닫는다

입속에서 풀어지는 한 숟가락의 빛
끝내 나에게 전하지 못하고
나를 만나 점심을 함께 먹으며
가끔씩 먼 산에 꽂아 둔 눈빛에

구름이 찾아온다
휴가가 끝난 구름들의 피곤한 얼굴
정해진 갈 곳이 없는 구름들
혓바닥을 조사해 보면
빛을 맛보기 위한 신호들이
헛바늘처럼 돋아 있으리라

詩集에서 나오며 미련을 버리지 못하는
나를 향해 한마디 던지는 구름
아직도 시에 희망이 있다고 믿는
세상을 등진 백수가 되고 싶으냐
길 잃고 만나는 사랑처럼
희망을 전당포에 맡기고
담배를 사서 길 아닌 길로 가는
쓸쓸한 뒷모습을 향해
산 위 먼 구름을 위해 오늘은

구름을 열고

*

그냥 통과하기만 하면 되는 구름의 문
망설이는 사람은 근처에도 갈 수 없는
안개보다 가볍지만
증발되지 않고 늘 삶을 감싸고 있는 구름

*

접힌 구름을 펼쳐 보라 구름의
꼬리를 잘라 보라 꼬리가
잘린 구름이 겅중겅중
뛰지 못하고 밍기적거리며 앉아
슬슬 흘려보내는 하품
열고 보라 구름의 몽실몽실한
문을 열고 구름이라는 이름의 문들이
갈비뼈처럼 붙어 있는 구름
건물, 당신의 근본이 뼈대로 서지 못한
구름 건물의 창문을 열고

*

축복은 5월 내 창가를 비추었다

발목을 저는 커튼

노래를 밀어젖히자 투명함

계단을 오르고 있는 옥상에 올라

던지는 대로 종이비행기처럼

날개를 펴고 날아가는 옥상 위 말

날개가 없이 날아가는 축복

*

노동절에 집으로 돌아가는 구름들

연극을 준비하는 무대 뒤처럼

날개들의 임시 정류소에서 내려와

연극처럼 광장을 돌아다니는 비둘기들

*

올라가는 계단이 보이지 않는 말의 옥상

올라 보면 올라오는 계단이 환히 보이는

구름에서 밧줄도 없이 내려오는 쓸쓸함

날개의 쓸쓸함을 만들고 있는 당신

어디든 갈 수 있는 날개를 접고 오리처럼

말의 옥상 위에 떠 있는 당신의 오후 세 시

*

거대한 구름을 배달하는 배달부
산처럼 배추를 싣고 가는 트럭
넘어가는 산 너머로
도시 사람들의 수많은 시선으로
일그러질 대로 일그러진 표정의
구름 배달부가 가고 또 가고

관념의 마을

말의 숲에 가다

말로 만들 수 없는 것을 찾기 위해선
말을 단련시키러 느낌 무성한 숲을 찾아가야 한다
사과가 박쥐처럼 나무에 매달렸다가
떨어지는 순간 어둠 속에서
번쩍하는 암시를 뉴턴처럼 낚아채게 하고
우울한 바위 밑을 뱀처럼 지키게 하다가
바위를 녹이는 독을 뿜게 해야 한다
흐물흐물해진 바위 위에
흉물스런 기억을 뱀의 허물처럼 올려놓고
사라질 땐 바람이 지나간 것처럼
소나무 곁가지 정도는 흔들어 주어야 한다
그래야 너무 먼 숲에까지 들어가
길을 잃는 수고를 면할 수 있다
더러는 숲 건너 태양을 올려놓는 것도
태양의 그림자에게 물어보아야 한다

말의 수탉 키우기

말의 알이 있다면 말의 병아리도 있을 것이다
말의 병아리가 있다면
말의 어미닭도 있을 것이다
말의 어미닭이 있다면 말의 어미닭 꽁무니를 쫓는
말의 수탉도 있을 것이다
구구구, 껍질이 벗겨지지 않은
옥수수 가루 소리를 뿌리면 모이는 수탉들
빨간 상징을 달고 사는 수탉들 가두어 기르는
말의 우리도 있을 것이다

말의 수탉을 키우고 싶다
닭을 가두는 우리 따원 걷어치우고
인디언 깃털 같은 긴 꼬리를 세우고
긴 목청을
햇빛 물살 져 가는 기와지붕에 올리는
말의 수탉, 슬금 성큼 슬금 성큼
정적이 흐르는 뒤란을 걸으며
혹 어머니가 가슴 밑바닥에 숨겨 놓고
뱉어 버리지 못한 비밀의 씨앗을 찾고
아버지의 늪지 옆 바위 밑에 살다 나온
징그럽고 발 많은 말들을

가지고 놀듯 톡 톡 쪼아 먹는 수탉

이들을 먹고 자란 힘으로

말도 안 되는

수탉 황금알을 기억 속에 낳고 싶다

꽃

나는 오늘 그녀의 이름을 몇 번씩 속으로 불러 본다

그녀가 온 지 수십 년 만이다

시집 위 먼지처럼

숨어서 내 입술 위에 오르기 위해 오랜 세월

나도 그렇게 한 가지 생각으로 벼랑 위

허공을 붙잡고 사는 소나무 가지 끝 松花로 살다

바람 부는 대로

아무 생각 없이 따라나서고 싶은 밤이다

외로운 밤이다

아무도 보지 않은 꽃가루가 날아오는 밤이다

난로를 대하는 열두 가지 마음

1

열선이 낡아 가는 줄도 모른 채
매일 만나는 벽에 플러그를 꽂고
무작정 따뜻해지기를 기다리는
중고 난로의 기다림, 그 서늘함

2

그녀가 따듯해질 때는 혼자
음악 들으며 커피를 마실 때
슬며시 다가가 이야기 점화 스위치를 넣으면
점점 차가워지는 이상한 심리적 역학반응
남아 있던 묽은 기름 다시 불태운 날
훨훨 날아오르던 불새 한 마리

3

불 없는 난롯가에 둘러앉아 이야기를 나누다
얼었던 마음 녹은 것처럼 자리로 돌아가는 직원들

착한 손길 한 번에 금세 뻘겋게 열이 올라
긴 연통으로 아슴아슴 아지랑이를 뿜어 올리는 난로
하나둘 사람들 불러 모아 볼 달구게 하는 시(詩)

                    4
쓰던 난로를 포장해 창고에 넣기로 했다

자리를 양보할 생각이 없는 먼 길 여행객처럼
시대를 지나온 무관심한 표정들이 켜졌다 나갔다

내 마음의 창고도 빈자리가 없었나 보다

                    5
아들의 신병교육대 퇴소식 날이었다
아내가 영내 매점에서 주머니 손난로를 하나 샀다
필요 없어요 아빠나 쓰세요
돌아오는 차 안에서 내 주머니 속은 따듯했다
면회가 끝나고 돌아오며
아들을 함께 집으로 데려가지 못해 서운한 아내
손잡아 줄 여유도 없이 차가운 아빠 손을
아들은 어찌 알았을까

6

생의 4교시가 되면

연탄난로 위에 쌓아 놓은 도시락 탑 생각난다

잘 구워진 가래떡이나 쫀드기 생각난다

체육 시간에 선생님 몰래 먹던 도시락의 유혹

그 사소한 일탈이

제자리로 돌아오는 힘이었다는 걸 알아 버린

만춘의 어느 하루, 3월은 겨울보다 춥다

7

양동이를 들고 조개탄을 받으러 가자

교과서라도 찢어 불을 지피자

아무도 알지 못했지 그땐

하루를 견디며 사는 일이 그렇게 될 줄

8

벽난로 앞 흔들의자는

남자들의 오래된 꿈

언제나 따뜻한 집에서 살아 보나

아내의 푸념이 불쏘시개가 되어
낫과 톱을 챙겨 집을 나서던 아버지

난방 역사의 시작이었을 것이다

9

아궁이 속에 감추어 두었다 재가 된
천상병 시인의 원고료
용암 속에 떨어진 절대 반지와 문화 권력

386세대라고 불리던 우리는
아찔한 이 둘 사이의 문화적 통로다

가끔씩 굴뚝새가 둥지를 틀고 사는
쓰지 않는 굴뚝이 있다

10

톱밥 난로가 있고
예쁜 면도사가 있는 이발관이 있었다
히얀 가운을 입은 면도사는
연통에 비누거품을 쓱쓱 문질러 솔을 덥히고
털이 나기 시작한 까칠한 턱에 발라 주었다
연통에 감아 두었던 따뜻한 면수건을

잠시 얼굴에 덮어 두었다가

삭삭 면도칼날에 잘려나간 까만 수염을

작게 자른 신문지 조각에 처리했다

하얗고 가느다란 손가락으로 턱을 어루만져

숨어 있는 수염을 찾아내는 동안

톱밥 난로가 탁-탁 경고음을 냈다

나는 늙은 암퇘지 한 마리에

열두 마리 새끼들이 몰려 젖을 빠는

이발소 그림을 거울로 보며

꿈의 왼쪽에 서 있는 이발사와 면도사를 보았다

이발소 문밖을 나섰을 때

잠깐 만에 몰라보게 성숙한 나를 데리고

함박눈이 펄펄 내리는 설밑으로 뛰어가곤 했다

                    11

막사 속 난로 위에는

돌아오는 사람들에게 줄 보리차가

끓고 있었다

푹-푹

따뜻했던 날로 가는 증기기관차

막사 속에는 노파 혼자

눈물 흘리는 창밖을 살피고 있었다

TV 속 처음 보는 그 노파를
나는 분명 알고 있었다

12

지빠귀가 살고 있는 난로를 하나
월레스 스티븐스에게 소포로 부치고 싶다

한 세기가 저물면
지빠귀는 난로 속 집으로 돌아올 것이다

까마귀가 있는 공간

*

대문 밖 계단에 앉아 사내가 담배를 피운다
점점 타들어 가는 담배
사내의 폐부에서 뿜어져 나오는 연기
주변을 돌고 있는 잠자리들의 습성과
목에 걸린 가시를 뱉는 까마귀 울음
닫힌 창문 밖 어디서부터가 실재일까

*

그의 머리 위에선 누군가 외줄을 타고
다른 집 지붕으로 건너가려 한다
창문 안에서 옷을 갈아입는 여자가
건전지가 떨어지기 전 시곗바늘처럼 제자리걸음을 한다
수색작전용 조명탄 불빛이 작렬하고
기억은 말을 풀어 진실을 수배한다
상징은 탈출하고
실체가 없는 까마귀가 날아다니는
나는 끝까지 들키지 않고 나를 포박했다

계절과 상관없이

밤은 짧고 낮이 길었던 이유가 행군해 온다

하늘을 향해 총구를 세우고 별은 숨었다

앞서 가는 사람의 발뒤축을 따라가며

피가 흥건한 군홧발로 내일에 도착했다

내일은 무수한 기다림을 먹고 건강했다

환영사는 까옥까옥 길 옆 잣나무 숲이 했다

담배는 짧고 생각이 길었던 군대의 휴식이

함께 무사히 제대를 했다

*

내개서 나에게로 건너가는 지하도 계단 옆

아이가 떨어뜨린 사과가 떼굴떼굴 굴러

내 앞에 와서 멈추었을 때

나는 까마귀 울음 같은 건 듣지 못했다

그것이 어떤 사과나무의 대화법임을 알았을 때

나는 그 비밀스런 비약을 시로 쓰고 욕을 먹었다

비약(飛躍)은 사과나무에 올라가

옷을 빗고 *까마귀*가 되어 날아갔다

*

문학개론 시험 바로 전날 노트를 분실했다

분실한 노트에는 빨간 사과가 주렁주렁했다
시험보다 노트 돌려줄 일이 더 걱정이었다
빌려온 노트엔 줄 하나도 긋지 않았지만
고맙다는 말 한마디 심어 놓지 못한 걸
후회했다
오랜 세월 동안 까마귀를 날려 보낼 수 있는
까마귀나무 한 그루가 식재(植栽)된 날이었다

목소리

　골목 이층 창문에서 밧줄처럼 목소리 하나 내려옵니다 먼저
가지 말고 기다려~ 골목을 빠져나가는 바람의 발자국 소리,
지나가면서 무슨 신호 줄을 건드리고 갔는지, 개 짖는 소리,
유리 그릇 깨지는 소리, 흥얼거리는 노랫소리도 대문을 나서
다 도로 들어갑니다 나를 두고 간 것들이 어느 날 집 나갔던
나비처럼 돌아오는 게 보였습니다

국수 이야기

밀가루 반죽의 말랑말랑한 춤이 만든 국수를 먹는 저녁은
춤추고 싶어라 어릴 적 국수공장엔 국수 치마가 건조대에서
바람에 살랑살랑 춤을 추었죠 가을 햇살이 말릴 수 있는 것들
엔 국수 치마 말고도 건조가 될 때 탁탁 참았던 소리를 내는
것들이 있죠 이젠 다른 곳으로 가도 좋다고 매캐하게 고추가
말라 가는 마당의 조는 햇살을 깨우는 소리 같기도 하고, 콩
대 위에서 조는 잠자리들을 놀려먹는 소리 같기도 하고, 춤의
국수공장으로 국수 사러 갈 때 불던 바람에선 들깨 냄새가 났
죠 호루룩 호루룩 입안으로 소면이 들어갈 때 따라 들어오던
구수한 멸치국물처럼 따스한 이야기 속으로 가고 싶은 저녁입
니다 잘 사려 놓은 국수를 풀어 걱정 없던 시절을 함께하고 싶
습니다

악어와 바람 무늬

입이 큰 악어

암소 한 마리 먹어치우더니

깜깜한 어둠에게 젖을 물리고 나오던

암소 한 마리 먹어치우더니

사철 물결 소리만 절벽이더니

바람 발뒤축 물려 울어 대더니

투신하는 꽃처럼

아름답게 투신하는 꽃처럼

넘쳐나는 바람의 무늬 무늬

악어는 멀리 아마존

나무뿌리 간질이는 물가 나무 밑

아마존 인디언

백인들 속에 숨은 누이 찾으러 갔다

잃어버린 깃털장식처럼 사라진

바람의 무늬를 재채기하는 악어

흙탕물 속에서 죽을까 봐

갑옷 입고 죽을까 봐

어기적어기적 뭍으로 올라오는

악어

놀라 흩어지는 바람의 무늬

투신하는 꽃들 유언처럼 찬란하게

소멸하는 바람의 무늬

무수한 화살에 하품하는 악어

이빨들 하얗게 줄을 서서

포위해 가는 방향으로 열리는

사상(四相)*의 블랙홀

백인 역사의 계단에서

오줌을 누다

멀리멀리 강물이 되어 흘러가는

거품 속 악어가 온다

* 사상(四相) : 중생이 실재라고 믿는 네 가지 상. 곧 아상(我相), 인상(人相), 중생상(衆生相),
수명상(壽命相).

미용사와 시인

　롯데마트 이층 미용실 불이 꺼지고 문이 닫힙니다 가위처럼 입을 다물고 세웠던 날을 접으며 미용사는 침묵 속으로 퇴근합니다 시인처럼 퇴근이 없는 거울도 오늘은 문을 닫고, 비로소 어둠을 안고 자기들 방으로 쉬러 갑니다 오늘 하루 얼마나 많은 사람들이 저 거울 속에 갇혀 있다 간 걸까요 앉아서 떨어져 내리는 머리카락만큼이나 많은 생각들로 자신을 비춰 보다 만 이천 원을 내고 자신을 교환해 자동문을 나섰을까요 흐뭇함과 어색함이 꼬리치며 따라 나와 함께했을까요 설치류는 쉴 새 없이 자라는 이빨이 제 입술을 뚫기 전에 스스로 갈아내야 한다는군요 더 이상 아름다울 수 없는 말들을 잘라 내는 시인, 미용사는 나에게 마술 같은 하얀 망토를 씌워 "고개를 잠시만 좌측으로, 아래로" 마음대로 조종하며 내 왼쪽과 오른쪽으로 몰려 있는 검은 물결들을 잘라 냈습니다 점점 가벼워지는 느낌은 뭘까요 최면(催眠)을 거부하듯 과거가 되어 가는 나를 미인함도 없이 배웅하고 나면, 최종적으로 머리에 일으킨 거품을 씻어 내고, 자 이제 자동문을 나가기만 하면 당신이 원하던 세상은 아니지만 달라진 모습으로 살 수 있습니다 미니스커트에 장미 향기가 나는 미용사가 사는, 내 기억 속의

도시 미용실, 자동문은 시(詩)처럼 그렇게 말하고 있는 거지

요 단, 추방당한 당신의 과거가 찾아와 다시 당신을 차지하기

까지(그때가 되면 다시 이곳을 찾아와야 한다는 독이 든 믿음은 잘라 버리

고 갑니다 그게 시(詩)니까요)

은유로 나는

고
추
잠
자
리

벌판
한가운데

도로 한복판에서 길을 잃어 본 적이 있는가? 길 위에서만 길을 잃을 수 있다는 것을 아는가? '여기가 어디지? 내가 어디로 가고 있었지?' 길을 잃었을 때 우리는 자신이 있는 곳을 알기 위해 주변 표지 건물을 살피고, 이리저리 생각을 굴려 현재의 위치 정보를 알아내려고 애쓸 것이다.

현대인들은 길 위에서 길을 잃은 사람들이다. 현대문명은 우리를 황량한 벌판 한가운데 내려 두고 어제보다 더 빠른 열차에 탑승해 내일로 가고 있다. 컴퓨터 모니터나 스마트폰 화면 속에 우리를 가둬 놓고 하루 종일 휴식도 주지 않고 혹사시키고 있다. 동승(同乘)하지 못하면 도태된다고 교육받고 훈련받으며 자란다.

'여기서 나가야 하는데 도대체 여기가 어디지? 정말 노예처럼 살기는 싫어.' 이런 생각이 들 때, 자아는 둘로 분열되어 싸움이 시작된다. 둘 중 누가 이기든 우리는 외롭다. 점점 지쳐 가고 세상은 난폭해진다.

이런 날 시(詩)는 위치 정보가 된다. 시는 은유로 나는 고추잠자리!

노을서점

구름서가(書架)에 꽂힌 빛을 처음 읽어 말씀을 퍼뜨린 사람은 누구였을까요? 간판에 막 불이 들어오는 노을서점은 따스합니다 불빛으로 만든 종소리처럼, 시집 첫 장을 넘길 때처럼, 서편 하늘 노을의 문을 열고 듣는 이야기엔 당신의 목소리도 들릴 듯합니다 추억이라는 긴 강물에 기러기처럼 걸려 오는 한 줄 시를, 태양 소인 찍어 구름 편에 부쳐 드린다면, 답장을 주시겠습니까? 버스 정류소 옆 은행나무는 한여름의 편지를 태우고, 나뭇가지마다 우편함 문을 걸어 닫고 있습니다 그 밑에서 진한 담배 연기 한 모금 마시고 버스에 오르는 노인처럼, 강물 위에 떠 있는 오리들도 오래도록 마지막 황금빛을 헤엄치고 있습니다 기다림 끝에 그리움을 타고 가는 창문 속의 사람들, 남겨진 것은 떠난 사람들의 쓸쓸함이 타고 있는 노을입니다 돌아보면, 꽃불을 놓을 마른 기억들을 쌓아 두고 살았던 하늘 한 모서리, 내 외로움 지불해야 할 노을서점이 거기 있었습니다 아십니까? 당신은 언제나 그 노을 서점의 주인이시라는 걸

벌판 한가운데

아들은 두통약을 풀어 구름을 만들어요
만들어진 구름을 한 양동이 이고
출렁거리는 엉덩이가 저잣거리로 갑니다
검정 비닐봉지들 몰려다니다
바람 빼고 주저앉아 있는 골목 나서자
신호등 몇 개, 무시하고
산만한 엉덩이가 저잣거리로 갑니다
대문엔 틈 안을 들여다보다 지쳐
누렇게 바랜 편지들이 꽂혀 있습니다
그림자 남편이 길어지는 오후
그녀가 좌판에서 파는 생선들의 눈
마르지 않은 비린내를 향해 덤벼드는
쉬파리 떼처럼
멀리서도 길 잃지 않고 찾아오는 가난을
퍼렇게 날선 칼로 탁탁 잘라 냅니다
잘린 지느러미 산처럼 수북해도
구름은 머리 위에서 내려오지 않고
고등어 떼라도 헤엄칠 듯 푸른 하늘에

시큰한 눈시울,

그녀의 단골들도 모릅니다

고등어 배 속에 소금을 뿌려 넣을 때마다

그녀가 싱싱해지는 이유

감추어 두었던 약통 뚜껑이 열리고

아들이 만들어 낸 구름을 걷으러

서둘러 좌판을 접는 그녀

출렁이는 엉덩이가 집으로 갑니다

벌판에 서서

당신의 관심 밖으로 나가지 않으려고
동네를 한 바퀴 산보하거나
호프집에 들러 맥주 한 잔 걸치고
국가 대항전 축구를 응원하다 슬그머니
아이들 과자를 사 오는 일로 기쁘고
그렇게 삶은 점점 쉬워졌습니다

당신이 기뻐하는지는 알 수 없었습니다
크라운베이커리 여주인 말처럼
부드러운 크림이 녹아 있는 당신
혀 위의 길을 걷다가, 어느 날
아파트 앞 사거리 빵집을 나설 때
사나운 눈보라가 닥쳐오고 아득해졌습니다
운명의 정령들처럼 하얗게
눈이고 입이고 사정없이 달려드는
차가운 이별의 예고
무작정 걸을 뿐이었습니다 나는

주변의 길들이 지워지고 차들이 엉켜
경적들이 서로 머리를 부딪치고
하얀 눈들의 낭자한 유혈을 보며 나는
당신 밖으로의 일탈을 꿈꾸었습니다
눈 때문이라고는 생각하지 않습니다
점점 당신에게서 멀어지며
눈은 내려 쌓이고 쌓이고

그러나 당신 멀리 나를 세울 곳을
알지 못했습니다 당신 밖으로의 외출은
눈이 그치고 끝이 났습니다
돌아가야 할 곳이 당신 곁이 아니라
내 습관 속이라는 걸 알았을 때
나는 허허한 벌판에 서 있었습니다

사막 마을의 노을

1

책장마다 유리창이 있다

낯선 이국(異國) 건물의 복도를 가듯

행(行)들을 지나고 돌아

밀폐된 어두운 방, 창(窓) 밖은

돈 후앙*이 사는 사막 마을이다

2

제발 제발, 옹송그리며 창 앞에 모여 있는

햇살 만나 동행이었다

멀어지며 점점 간절해지는

그러나 그 지붕 밑으로 돌아가는 일

다시 없으리라

* Carlos Castaneda, 『돈 후앙의 가르침』, 미국(류시화 譯, 서울, 청하출판사, 1986) : 문화인류
학자인 작가가 식물에 관한 지식을 얻기 위해 미국의 서부 사막에 들어갔다가 인디언 주술사
인 돈 후앙의 제자가 된다. 그는 용설란과 버섯가루 등을 통해 까마귀로 둔갑하는 주술의식
을 배우며, 사물을 보는 또 다른 방식을 접하며 배우고, 생각하고, 느낀 것을 필드 노트 형식
으로 쓴 글이다.

그랬다 머물던 지붕 아래

오늘 열어 놓은 유리창들을 내일 닫으며

열어 놓은 지 너무 오래되어

잠금장치가 고장 났다며

누군가 투덜거릴지도 모른다고

그렇게 긴 하루의 끝에는 괘종시계마저

쉰다

3

걸을 때마다 푹푹 발이 빠지고

종국엔 길을 잃어

모래 속에 묻힌 듯 캄캄해지는 사막을 넘기면

돈 후앙은 그 사막의 일몰 전 해였다가

새들을 사라지게 하는 통로였다가

열고 가야 할 주문을 숨겨 놓은 거울이었다

4

입구가 열려 흘러가는 이야기 길, 수천 년 된

버섯 포자(胞子)가 꽃 같은 갓을 피워

들어갈수록 깊어지는 골짜기

하루 종일 혈압 약병 속을 걸어가듯

시도 때도 없이 들러붙은 거미줄 같은 경고 밖

비로소 그림자 더욱 선명한 좌망(坐忘)

5

가득한 먼지와 햇빛의 춤 방문이 열려
접어놓았던 페이지 위 태양의 발자국을
걷는다

6

사막에서 나를 지탱하게 하는 힘은 회의(懷疑)
사막에서 나를 지치게 하는 힘은 회의(懷疑)
독말풀이 나를 점령하기 시작했다
바이스처럼 닫힌 입술이 열려
독말풀의 수액(樹液)이 새어 나왔다

까마귀를 마음껏 날게 내버려 둬라 그냥
네 안에서만 까마귀를 날게 한다면
까만 활자가 되어 떨어지게 될 것이다

7

하얗고 긴 천사의 나팔꽃 씨방에 누운
저무는 하루 깊숙한 노을 속에 발을 넣고
따뜻한 아랫목 솜이불 속처럼
세상이 정말 따뜻하고 환해졌으면

내가 까마귀가 되고 까마귀는 노래가 되고
그렇게 세상을 날아다닐 버섯 포자(胞子)처럼
돌고 돌아 환해졌으면

禁書 아닌 禁書에서의 노을 속 하룻밤

고택 단상(故宅斷想)

*

기다림 오래된 철문
녹슨 손잡이를 돌리면
촛불을 켜 놓은 독백, 누군가의
무수한 발걸음을 넘겨주었을
녹슨 문틀 너머
발자국 대신 무성한 잡풀들
추억을 지우고 떠난 자들의 길
찔레나무 빨간 열매 아래
떨어져 내리는 세월의 더께

*

깨진 병조각을 꽂아 놓은 담장 안
파머 머리를 한 회향목 한 그루
먼지를 털며 바람에게 수다 한참
텅 빈 개 집 속에 앉아 있는 햇살
먼지와 어울리는 길은 떠나고

*

푸석푸석한 시멘트에 기어올라

짖고 있는 덩굴장미

길을 건너오는 TV 유선 줄에서

뒤따르는 물방울 참고 기다리다

함께 안고 떨어지는 물방울

폭탄 같은 지상에 내리는 외침

*

갈라지는 담 안으로 옮겨지는

종교 행사처럼

개미들의 길이 되는 틈

까맣게 바글거리는 굴속

푸석한 고기를 꼬치에 꿰고 있는

손놀림 너머 시간

황혼 2
- 말기 암 환자의 귀향

잠에서 깨어난 두 개의 평행선을 타고

고향의 소꿉놀이 파편 주우러 가는 길

잉잉 전봇대 우는 소리, 멋모르고

손 흔드는 나무들도 골목길에서 그를 배웅했네

쓸쓸함의 뉘누리*에 빨려드는 거리의 음악

누워 있는 귀속으로 흘러들어

커피포트처럼 푸푸, 눌러 놓았던 추억을 열어

노래하고 싶었을까

어머니가 끓여 주는 된장찌개 먹고 며칠만

푹 쉬다가 다시 오고 싶다는 쑥 들어간 눈

어디서부터 어긋나기 시작했을까 삶은,

느슨해지려는 의식의 줄을 잡아당기면

딸을 낳았을 때 웃음 반 울음 반이던 아내

입사(入社)하던 해

체육대회에서 첫 골을 넣었던 기억

링거액처럼 한 방울씩 떨어져

* 뉘누리 : 물이 소용돌이치며 흘러가는 모습

가물거리는 실핏줄 먼 데까지 달려갔을까

길, 목이 마른

사랑, 눈물이 필요한

무엇을 열어 서른여덟 해의 삶을 축복할까

운명을 경작하는 신에게 가장 잘 익은 곡식

제발 그런 말은 듣지 말기를 빌고 또 빌어도

태양은 구름 속으로 숨어 버리고

한 아이의 아버지

한 여자의 남편

한 어머니의 아들로 서 있는 일 그리도 힘들었던가

뼈만 남은 얼굴로 고향으로 돌아가네

딸애는 아빠를 부르며 앰뷸런스처럼 울고

낙엽들은 차창을 비껴 먼 뒤쪽으로 기억처럼

날아가네

멀리 가기 위해 수통에 물을 채우듯

멀리 가기 위해 끊어버리는 지상의 수많은 끈

생과 사를 오가며

성한 몸일 때의 행복한 기억 더 많이 챙겨 간직하라고

간직하라고

태양은 더 없이 황홀하였네

직선들의 이동 경로

1

가로수 밑을 시원하게 불어 가는 바람에서 삶의 의욕은 내려와 사람들의 어깨 사이를 함께 걷고 있다 상점들 유리창마다에는 하나씩의 태양이 이주해 와 있다

2

오기로 한 그녀는 오지 않았다 몇 개의 종이비행기가 의문을 따라 날아갔다 무작위로 몽상의 시학에 쓰인 활자들을 헐어 내어 일렬종대를 세운다 정글을 수색하러 가는 병사들

3

하늘 한쪽을 차지하고 있는 구름의 입안에 나방의 알이 슬어 있다 여름을 다 산 나방들은 어디로 가 죽을까?

4

비가 내린다 십리 밖에도 비가 내릴 것이다 십 리 밖에서 비 맞는 내 꿈이 보고 싶다 물컵에 꽂혀 물을 마시는 국화 한 다발의 꿈은

5

지금도 새벽에 울린 종소리가 지나가고 있는 마을의 개 짖는 소리가 들린다 수많은 감나무 마을을 지나가는 날개 없는 천사들, 내 노트에선 숨이 막혀 도망쳐 버린 비유들의 행렬

6

아무에게도 말을 걸지 않는 나무들 위에서 꿈의 영토를 감찰하러 온 새들 무어라 저희들끼리 지껄이다 다친 내 눈빛에서 사라져 간다 오늘 밤 나무들은 멀고 먼 눈밭을 걸어서 내 따뜻함의 집에 곧장 당도할 것이다

7

다람쥐처럼 은유의 나뭇가지를 옮겨 다니던 생각 하나가 내려와 사라지는 숲으로 그녀의 시에서 잡아 온 노란 나비의 무늬가 바람 없이 떠오르기도 했다

8

이제껏 길러 온 물고기들, 견고한 그러나 어둡고 침침한 의식의 바위 밑으로 사라져 가고, 죽음의 지느러미만 이듬해 여름 편지 속에 떠오르곤 하였다

9

어느 날의 사람들은 죽음을 운반하는 영구차 같다

10

남은 날들을 태워 북소리를 듣는다 어린 날들의 골목으로
겨울이 지나가는 소리

11

무슨 이유인지 모르겠다 녹차를 세 잔 마시는 동안 대추나
무 위에서 별들은 자리를 뜨고, 누군가 담벼락에 기대어 오줌
을 눴다 굴뚝 위에 구름 밖으로 나온 별 하나가 반짝였다 오늘
같이 싸락눈 지나가는 날, 코 흘리게 동무들 보고 싶은 날

12

비밀은 몰래 언덕을 올라 음모를 만난다 바람난 바람 한 점
이 지나가고, 은사시나무가 실수를 가장하며 이제 막 불을 켜
는 창들을 향해 하얀 잎들을 흔들어 보인다 여자들은 치렁치렁
상념을 늘어뜨리고 방 안에 누워 있다 어디만큼 와 있는 것일
까? 어디만큼 와서 부끄러운 나의 일상을 유혹하는 것일까?

13

전깃줄이 지나가고 있는 하늘에는 전깃줄에 편 갈린 바람
지나가고, 노을이 걸려 있고, 차디찬 상상의 높이 저 어디쯤
서 날고 있는 흥부의 제비여 바람이 지나간 담 아래에는 여직
공들이 남쪽으로 가기 전의 제비들처럼 제제거리고 있다

14

술맛이 좋다 흔들면 노을이 지는 은행나무를 닮아 간다 내 안의 말들이 한꺼번에 쏟아져 홍수가 지고 조용해진 사변의 강가에서 달팽이들은 무지개를 타고 기어오른다 절벽을 찾아가 흙 제비집을 짓는 외로운 느낌 하나의 비상을 보았다

15

직선을 뭉쳐 놓으면 점이다 직선을 따라가 보면 사람들의 모든 관계도 그렇다

다시 그 실비집

대학생, 노점상, 막노동꾼도 한자리 앉아

김 후후 불며 순댓국을 떠먹으면

저마다 파랗게 다시 잎이 돋았지

연중 봄비 내리는 실비집

요리사보다는 아줌마가 더 어울리는 실비집

뽀얗게 서린 김 속에

잠언(箴言)처럼 파란 가스 불꽃은 피어오르고

뚝배기에선 연신 순댓국이 끓어 넘쳤지

실비집표 순댓국 맛의 비결은

뚝배기에 부드러운 돼지머리 고기 한 줌 넣고

손님들 생각이 너무 세서 넘치지 않게

푸념 섞어 뒤적거리고

양념으로 눈물 쏙 빼는 매운 말이나

아줌마 청춘 고백도 아끼지 않는 거였지

어둑어둑해지면 처마 밑에 모여드는 제비들처럼

약속 없이도 만날 수 있던 실비집

확! 마술의 솥뚜껑이 열리면

날개가 달린 채 죽은 곤 계란, 털 숭숭한

시절 안주로 막걸리가 몇 순배(巡杯) 돌고

돌고 돌다 도돌이표 끝 골목

화장실 통과 마패를 차고 가

냄새 나는 욕설도 배설하고 보던 별들

지금은 보이지 않는,

비에 젖어 뜯겨 나간 외상장부에

다시 이름을 올리고 싶어지는 실비집

너무 오래 내린 밤비에

주소가 유실되어 다시 갈 수 없는 실비집

계단, 현실 그리고
가끔 가다 현실

현대문학비평론 수업은

밀반죽처럼 물렁물렁한 계단을 오르는 일

변신에 나오는 그레고르 잠자를 만나

수다를 듣다 졸음 마법사의 주술에 걸린 듯

피곤을 느낄 때면

말도 안 되는 사다리에서 여우꼬리

하루가 내려온다

그레고르 잠자의 주머니엔

비논리적으로 쩔렁거리는 동전이 들어 있다

낚싯줄에 매달려 팽팽해진 구름 하나

입을 쩍 벌리면 보이는 이빨들의 계단

사이에 어제 먹었던 달콤한 기억

부패가 어둡게 진행 중이다

현대문학비평론 수업은

올라가는 것들에게 내려올 계단을 내주는 일

줄줄이 아이들이 매달린 가난한 가장에게

단칸 사글세방 세를 놓고
날짜를 세다가 어두컴컴한 골목을 돌아
학교에서 귀가하는 아이들 노래를 듣는다

뜻하지 않는 일로 비평론 수업을 자주 휴강을 했다
그런 날은 들어가지 않는 청바지에
뚱뚱해진 몸을 욱여넣을 때
무사히 지퍼가 올라간 심정으로
어디까지 가야 만날지도 모르는 구원을 뒤적거리며
연탄화덕에 삼겹살을 구워 소주를 마셨다

소풍 1

　언덕 너머로 소풍을 갈 겁니다 언덕을 넘어야 하는 이유는
기억 저편이 아름다운 이유와 같습니다 도시락을 준비해야 할
텐데 오늘은 근처에 자장면집이 있는지 약수터가 있는지 알
아보렵니다 자장면을 함께 먹을 추억 속 그대에게 텔레파시를
보낼 겁니다 전화마저 불통이 된 언덕 너머 봄이 벌써 쇠고 있
습니다

웃기는 짬뽕

점심으로 짬뽕을 먹고 들어왔는데 머리가 아프다

짬뽕을 먹기 전엔 머리가 아프지 않았으므로

두통의 원인은 전적으로 짬뽕이라는 추리가 가능하다

그러나 함께 짬뽕을 먹은 두 사람은 두통 증세가 없으므로

두통의 원인은 다시 나에게로 귀결된다

이쯤 되면 나는 짬뽕에 들어 있던 홍합을 의심한다

심하게 썩는 냄새가 났던 홍합

씹다가 얼른 뱉었는데 영 찜찜했었다

혹자는 걱정 많은 내 성격 때문이라고 쉽게

그러나 썩 그럴듯한 추리를 제시할지도

다른 이들은 명석한 추리에 선심성 감탄을 날릴지도

그러나 곰곰이 생각해 보면 그 일

내내 마음에 담아 둔 것은 아니었으므로

그럴듯했지만 원인 도출은 빗나간 셈이다

어쩌면 꼭 어떤 행위로 국한시켜 원인을 파악하려는

사람들의 틀에 박힌 사고가 문제일지도

마치 시는 함축성이 살아나도록

과감한 생략이나 상징을 동원해야 한다는 이론처럼

그게 틀린 말은 아니지만

그냥 산문처럼 써 놓고 시라는 부류로 묶어 놓으면

사람들은 어떻게 반응을 할까

짬뽕 그릇에 들어 있던 상한 홍합을 뱉어 내듯

잠깐 맛을 보고는 대뜸 뱉어 버릴 것이다

빤히 그걸 알면서도 한 번쯤은 반항해 보고 싶은

그게 시일 때가 있지 않을까? (이건 또 무슨)

매운 고춧가루가 위통을 유발할 수 있다는 걸 알지만

시뻘건 짬뽕국물에 청양고추 양념을 더 풀고 있는,

입안이 따끔거리던 매운 국물의 기억을 떠올리며

한번 먹어 보지 않을래?

괜찮아, 무슨 큰일이야 나겠어?

스스로 최면을 걸며 살고 있는 오늘

시뻘건 짬뽕 국물에서 오징어 건더기나 국수 가닥을 건져 내
는 것처럼

언제쯤 그럴듯한 시적 표현이 나오려나 기다리던 독자를

냉큼 버려 버리는 배반,

처음부터 맵기만 하고 맹맹한 짬뽕 국물을

그럴듯한 환상을 꿈꾸고 맛을 보았을 때 느낌

끝내, 불은 국수 올이나 건져 올려 대충 씹어 대는

이걸 시라고 하면 어떨까?

시도 인생도 짬뽕을 먹는 일처럼 되고야 마는 섣부른 추측은

잘라 버리고

두통을 동반하는 글을 시라고 독자에게 들이미는 행위

극사실주의 시라고 한번 우겨 보는 거 어떨까?

"우리 집 육류는 모두 국내산만 사용합니다."라든가

정품 속에 슬쩍 짜가 하나 끼워 파는 건 애교죠

외도, 불륜 빼면 드라마가 안 되는 현실에

살짝 바람 한 번 피운 게 무슨 대수라고

이렇게 슬쩍 막무가내로 벽을 문이라고 우겨대는 거

짬뽕 같은 세상, 짬뽕 같은 인생

그리고 짬뽕 같은 그 무엇(빌어먹을)

이쯤 되면 두통의 원인쯤

슬쩍 상한 홍합처럼 정체를 드러내게 되는, 웃기는 짬뽕

퇴근

다람쥐야 다람쥐야
쳇바퀴 위의 다람쥐야
이젠 그만 숲으로 가자
길 없는 숲으로 가자
기억 밖으로 가자

향나무가 있는 교정 풍경

7년 동안을 지하에서 지낸 매미들의 울음소리가 창연하다
오뚝이를 닮은 향나무들이 서 있는 교정
방금 잘려 나간 시퍼런 잔가지들이 햇빛에 향내를 피우고
날이 시퍼런 정전가위는 아이들 머리 위로도 지나갔나 보다
운동장 끝까지 달려가는 휴식 종소리
피뢰침을 닮은 잠자리가 향나무 꼭대기에 떴다가 가라앉는다
먼 산 위에 아이들의 생각처럼 뭉게구름이 피어올라 있다

희망 수업

*

　돌아갈 길을 잊은 듯 다시 비가 내린다 꿈의 단선(斷線)처럼 머리카락 우수수한 잠자리, 밤새 내 머리채를 잡아당기던 사내가 거울 속에서 멀거니 나를 쳐다본다 거울에 남겨둘 수 없는 저 사람, 뒤축이 닳은 채 주인을 기다리는 구두에 발을 꿰면 하루가 저만치서 시동을 걸고 있다 일기예보처럼 빗나가는 입시정책을 챙겨 출근을 한다 학생이었을 때도 교사가 된 지금도 학교는 왜 모두 언덕 위에 있어야 하는지, 오르는 것이 사명인 공부를 몸으로 배우던 시절, 눈이 내려 반들반들한 언덕길을 기어 올라가 내려올 땐 미끄럼을 타다 곤두박질하듯, 내려가는 법은 그랬다

*

　2층 유리창 높이까지 자란 은사시나무들이 하얀 손을 흔들고 있다 방금 내린 비로 머리를 감은 듯 나뭇잎 소리마저 경쾌하다 복도에는 그늘에서 웃자란 화분의 화초들이 줄을 서 있다 목마른 영혼들을 다독이듯 빗소리를 닮은 출근, 교실 문을 열었을 때 제자리에 있어야 할 것들이 아는 척을 하는 반가

움은 늙었다는 증거? 사람들은 무엇이든 썼다가 지울 수 있는 칠판을 갖고 있다 그러나 누구든 삶 전체를 다시 쓸 수는 없다 하루에도 몇 번씩 흐려지는 하늘과 소나기 쏟아지는 선생님의 강의, 책 속에 길이 있나니, 먼 내일의 양식을 준비하느라 밑줄과 함께 검게 지워지는 아이들의 오늘 피뢰침을 달고 비에 젖고 있다

*

회전 느린 선풍기 바람을 기다리는 아이들의 머리 위에서 터지는 천둥소리, 가벼워진 아이들의 상상이 흙물 위를 첨벙거리기 시작한다 예기치 못한 방향으로 물꼬를 트는 수업, 아열대성 저기압 기단이 지나가며 점점 높아지는 위험 수위, 그러나 수학식의 등호 뒤 공백처럼 우리는 늘 참고 기다림에 익숙해져, 점심시간을 기다리다 하루가 가고 귀가 시간을 기다리다 학창 시절이 갔다 기다리지 않아도 어른이 되어 나와 비슷한 아이들이 태어나고……. 장마가 지나가는 동안 그늘진 곳에서는 버섯이 자라고 검푸른 곰팡이 자국을 남기지만 내일의 햇살을 의심하는 아이들은 없다

철로(鐵路)

　기차는 자석처럼 나에게 달려드는 생각들을 빠르게 거두어
가 버린다 아이들은 기어이 가출(家出)을 했다 뒤도 돌아보지
않고, 그들만의 세상으로 갔다 내 앞엔 기차가 지나간 후의
철커덕거리는 여운과 두 개의 평행선만 남는다 바람은 내 앞
장을 서서 어디로든 가야 한다 철로는 햇빛에 신비스럽게 빛
나 보이고 상상 저 너머로 가는 열차는 이미 떠난 지 오래, 철
로만 피어오르는 기다림 속에 박혀 있다 먼저 지나간 기차의
소음이 나중 지나간 기차의 소음을 마중 나오는 그 지점에서
도 나란한 두 개의 평행선은 외로운 채로 남아 있으리라 삶이
란 여행 칸 뒤에 화물칸을 달고 궤도 위를 달리는 기차, 간이
역엔 나처럼 무작정 하차해서 다음 열차를 기다리는 외로움이
마중 나와 있다 몇날 며칠 쪼그려 누운 채 꿈꾸던 푸른 벌판을
지나며 기차는 탑승하지 못한 나에게 기적을 울려온다 금붕
어들이 죽기 직전 어항 물 위에 올려놓은 물방울들의 언어 같
은 소리, 살아 있다는 말과 살아간다는 말과 죽지 못해 산다
는 말은 어떻게 다른가? 늘 우리에게 절망은 건강하고 허무가
그림자처럼 따라 다녀, 의문부호처럼, 세상은 추를 달고 끝도
없이 가라앉는 낚싯바늘, 무리에서 벗어나 헤어나기 어려운

바늘을 물고 거센 물결 거슬러 헤엄치려던 물고기를 나는 안
다 내 위험한 상상 앞엔 차단기가 내려지고 그들이 간 세상의
수업 시작이라도 알리듯 기적이 울린다

수업(受業)

책상에 한 녀석이 엎드려 잔다
녀석의 서툰 위장술보다
낮게만 가라앉던 내 목소리가 문제였으리라
입을 헤 벌리고
어설프게 먹은 지식들이 실실 빠져나오듯
책에 침이 괴괴하다
활자가 불어서 중요 어구보다 더 까맣다
불이 번쩍 나는 호통이라도? 하다가
살면서 누구나
버스 종점에서 내리기 싫을 때가 있는 것이다
그냥 여기가 삶의 기착지였으면
이대로 자게 두었으면 할 때 있는 것이다
밑줄 그어 놓은 부분보다
침 흘린 부분이 더 중요할 수도 있다고
곤한 잠에서 깨우는 것은
호통이 아니라 기다림이란 걸 알기까지
나도 잠들었던 시절 있는 것이다
언제까지든 잠에서 깨기를 기다려

따뜻한 커피를 주고

광활한 바다 속을 헤엄치는 돛새치를 낚으러

이제는 나서야 하지 않겠느냐고

믿어 주고 기다려 주는 소년이 없어

상어에게 잡지도 않은 돛새치를 빼앗기고

잠들어 있는 날들

분명 있었던 것이다

스타일리스트*

    살아가는 것은 자기 그릇을 만들어 가는 일이라던 고등학교 때 담임 선생님 그릇엔 물고기 몇 마리가 헤엄치고 있었지 수만 종의 물고기가 사는 대양(大洋) 같지는 않아서 갑갑한 물고기들이 가끔씩 그릇 밖으로 튀어나와 우리를 놀라게 했지 거짓말처럼, 튀어나온 물고기를 주워 담을 때, 그 끈적끈적한 농담 속에 슬어 있던 물고기 알, 부화(孵化)를 위해 부화뇌동(附和雷同)하던 친구 자취방, 체온만으론 부족해 한가득 구름을 만들어 놓고, 우리는 멋지게 녹슬고 있었지 담뱃재를 가득 담아 놓은 우리의 그릇이여, 그릇보다는 밥이 절실해 대학에 갔고, '펑크'가 날 뻔한 논리학을 메우느라 국문과 사무실 유리창 너머 씌어 있던 노을의 현상학을 가방 속에 방치하고, 커피 맛처럼 중독성 강한 사랑은 시집 속에나 모셔 두고, 그릇의 입구를 오므려 놓은 졸업, 캄캄해져서 더 이상 안을 살필 수 없게 된 내 그릇 그 속에서 헤엄치는 물고기 소리

---

* 스타일리스트(stylist) : 1 문장가. 2 옷, 실내장식 따위의 의장가(意匠家) 또는 디자이너. 3 예술상의 양식주의자. 4 멋을 중시하는 사람. 또는 치장이 심한 사람.

화음(和音)

　수업 시작 종소리 울리고 헐레벌떡 교실로 들어가는 아이, 꼭꼬댁 꼭꼭꼭 멀리서 암탉이 알 낳는 소리, 화장실 물 내리는 소리, 커피 물 끓는 소리, 꼭 만나야 할 필요는 없지만, 아침부터 맴맴맴 매미 소리, 계단을 내려오는 슬리퍼 소리 그리고 전화벨 소리, 예, 제가 박××입니다 맴맴맴 안녕하시죠?

다리 위에 서 있는 사람

흰 구름만 산을 넘지 못했다

읍내 소방서 망루는 서서 빨갛게 녹슬고 있다

빵 봉지 속에 들어 있는 초등학교

수시로 개미들이 들락거린다

학교 담장을 넘겨보며 핀 칸나는 빨갛고

벌 받듯 운동장을 도는 된장잠자리들도

샐비어 꽃밭 길도 흘러온다

뭉게구름 뿜어내는 소독차 꽁무니 따라

송사리 떼 몰리는 학교 앞 여울 길

소문 허연 수염을 기른 망태할아버지 지나간다

도망치듯 뿔뿔이 흩어져 간 아이들

전근 가신 부엉이 선생님 후일담처럼

몰래 담을 넘은 덩굴장미 몇 송이

빨갛게 피었다 지지 않는 낙서(落書)

안테나 고치러 지붕 위로 올라간 아이가 내려오고

흑백 TV 화면 다시 밝아지듯 30년 만에

아이들이 찾는 술래가 누군지 모른다

교실에서 키우던 부엉이 먹이 잡으러

쉬는 시간마다 학교 뒤 논으로 가던 봄

진달래 피었다 지고

과꽃, 봉숭아꽃 핀 화단에 물은 벌써 다 주었고

유리창 얼굴 비치도록 닦아 놓았지만

아직도 끝나지 않은 선생님의 숙제

나는 아이들에게 어떤 숙제를 내주고

다리 저편으로 가서 기다려야 할까

뽕나무 화분

선물로 받은 화분에서 어느 날
싹이 텄습니다

무관심을 견디다 끝내 삶을 포기했을
화분의 원래 주인공 옆에
비리비리하게 잎 하나 들고
나는 어때요? 할 때도
그저 뭐가 되려나 하는 호기심
가끔씩 부어 주었는데
온갖 기대 비웃고 뽕나무가 되었습니다

하루는 백자 화분이 아깝다 싶어
예쁜 화초라도 사다 심으려고
단단하게 화분 흙 움켜쥔 뿌리를 뽑아
비닐봉지에 담아 두고
출장에서 돌아와 보니
며칠을 그렇게 견딘 것인지
애기 손바닥만 한 파란 잎

거두어들이지 않은 겁니다

그만 가슴이 철렁했지요
구박덩이가 가출을 했을 때
어머니 마음이 그랬을까요

이젠 제법 다섯 살배기 재롱을 부립니다
새끼손가락만 한 줄기에
새록새록 잎을 피워 내고
생은 살아 볼 만한 거라고
살랑살랑 바람에 춤도 춥니다

성장기(成長期)

－ 하늘못 기억

1

연못이 있었다 그림자를 앞세워 풀꽃의 기억을 돌아가면 자꾸만 아슴아슴 구름이 일어나는 연못이 있었다 하루 종일 무성한 수초 사이를 어슬렁거리던 바람이 열어 놓은 문틈으로 하늘이 보이고, 그리움이 물잠자리처럼 무수한 동그라미를 그려 내고 있는 연못이 있었다 한여름 뭉게구름 속에서 탈출해 나오는 우렁이들의 이야기가 물비늘 져 반짝이며 창문 앞까지 몰려오곤 했다 네 개의 동그라미를 타고 다니는 소금쟁이들이 무심한 일상의 갈피 속에 돌아다니고 있는

2

연못에 물방개를 잡으러 간 적이 있었다 수초들의 문 밖에서 오래도록 바람의 우는 소리를 들었다 드디어 헤엄쳐 다니기 시작하는 물방개를 향해 실에 묶인 개구리 뒷다리가 던져졌다 물방개보다 먼저 미끼를 삼켜 버리고 실 끝에 끌려오던 연못에서 물방개를 떼어 내는 전율! 하늘못을 찾을 수 있던 말초신경이 그때부터 조금씩 뜯겨 나가기 시작했는지도 그때부터 미끼에 걸려 버린 생을 버리러 하늘못이 그리워지게 되었는지도

3

　모른다 그리움이 고여 연못을 이루던 날, '물방개는 왜 날개가 있는데 날아가지 못하고 죽었을까?' 분유깡통에 꽂혀 피어나던 별빛 같은 들꽃들 버려지고 뻘겋게 녹이 난 무관심 속을 헤엄치다 죽어야 했을까? 죽은 뒤에도 등껍질에서 부서지던 눈부신 햇빛 이후 자꾸만 고일 새 없이 물을 퍼내어 돌아가지 못하는 연못

오침(午寢)을 위한 변명(辨明)

꽃 진 벚나무들의 손이 닿지 않는 4층 교실

바닥 정방형(正方形)의 금 안에는

아이들이 하나씩 앉아 있다

금에 걸쳐 있는 아이들도 있다

나는 이들을 데리고 먼 우주여행을 가는 중이다

중력을 견디기 위해서

아이들은 잠시 잠을 자야 한다

이후로

각자 그리던 천국에 아이들을 풀어놓는 일

거기까지가 나에게 주어진 일이다

천국을 천국으로 만드는 일은 아이들 몫이다

이미 끝난 이야기

공은 곡선을 그리며 그녀의 글러브 속으로 빨려들어 갔고, 공이 날아간 궤적은 고백처럼 글러브에서 빠져나와 망각 속으로 사라졌다 아직 허무나 절망을 불러오기엔 너무 이른 시작 (始作), 골목은 멈춰 서서 집집마다 찾아가는 햇빛을 유리창에서 돌려보냈고, 죽음의 계곡에선 수만 송이의 백합들이 목이 잘려 운송되었다 총성과 폭음이 만들어 낸 꽃을 들고 강물은 흐느끼지 않고 흙탕물인 채로 바다로 갔다 몇 개의 신문들이 교묘하게 감추어져 있던 진실의 무덤을 파헤쳐 커다란 역사적 발견처럼 아주 조금씩만 유물을 내놓았다 접어놓았던 시집에선 새 한 마리마저 날아가 아무것도 남아 있지 않았다 내가 추방되어 텅 빈 이야기의 거푸집만 밤하늘에 둥글게 걸려 있었다 어떤 기억의 유리 조각을 이어 붙여 이야기를 연명할까 피노키오처럼 점점 욕망만 자라는 나무인형 줄을 손가락에 걸고 춤을 추는 주인은 누구? 오른팔은 올라가다 허무의 달을 가리키고 왼발은 따라오지 않는 오른발 때문에 지쳐 그녀의 문턱을 넘지 못하네

유리벽을 오르는 청개구리들

폐교가 된 초교를 개조한 학생수련원
어둠 내린 운동장 가 플라타너스
무수한 안테나로 빗소리를 打電한다
쏴쏴쏴 수르르

어디로 가는 하늘에서 뛰어내린 것일까
슬로비디오 맨발로
현관 유리문을 등산하는 연둣빛 잎사귀들
열린 유리창 일탈하는 불빛 속에
노란 우산을 쓴 금잔화들은 종종거리고

동심에서 뜯겨 날아가 버린 우화 한 페이지
불빛 흔들리는 유리문 처마 밑엔
폐교 전부터 있었을 창백한 보름달이 하나
자식을 걱정하는 엄마 무덤처럼 달려 있다

달 아래엔 몇몇 날개 달린 족속들의 한 생이
시멘트 바닥에 떨어져 지워지고 있었다

오래전 동화에서 뛰쳐나온 청개구리들은

와글거리며 수련 중이었고

건물 전체를 떠메고 가는 세월이 쭈그려 앉아

아직 쓰이지 않은 동화를 읽고 있었다

은유로 나는 고추잠자리

초판 1쇄 인쇄일 2016년 9월 26일
초판 1쇄 발행일 2016년 9월 30일

지은이 유태안
펴낸이 양옥매
디자인 남다희
교　정 조준경

펴낸곳 도서출판 책과나무
출판등록 제2012-000376
주소 서울특별시 마포구 방울내로 79 이노빌딩 302호
대표전화 02.372.1537　**팩스** 02.372.1538
이메일 booknamu2007@naver.com
홈페이지 www.booknamu.com
ISBN 979-11-5776-260-6(03810)

이 도서의 국립중앙도서관 출판시도서목록(CIP)은 서지정보유통지원 시스템
홈페이지(http://seoji.nl.go.kr)와 국가자료공동목록시스템
(http://www.nl.go.kr/kolisnet)에서 이용하실 수 있습니다.
(CIP제어번호 : CIP2016022938)

*이 책은 강원도, 한국문화예술위원회, 강원문화재단 후원으로 발간되었음.